pour le

émery

La réalisation d'un film

LES MATINS INFIDÈLES

Remerciements:

Nous désirons remercier toutes les personnes qui ont participé à la réalisation du film et à celles qui ont collaboré à la rédaction de ce livre:

Claude Beaugrand, Denis Bouchard, Andrée Bouvier, Jean Brien, Claude Cartier, Nathalie Coupal, Marc Daigle, Carle Delaroche-Vernet, Alain Dupras, Laurent Faubert-Bouvier, Violaine Forest, Marquise Lepage, Karine Lopp, Gaétanne Lévesque, Philippe Palu, Pierre Pelletier, Louise Richer, Michel Rivard, Catherine Thabourin ainsi que Pierre Baril, Jean-Pierre Masse et Gérald Pageau.

Jean Beaudry   François Bouvier

Avec la collaboration de
Danièlle Charlebois et Marcel Jean

La réalisation d'un film
LES MATINS INFIDÈLES

 ÉDITIONS
SAINT-MARTIN

Les Productions
du lundi matin

Données de catalogage avant publication (Canada)

Beaudry, Jean, 1947-

  Les matins infidèles

  ISBN 2-89035-161-0

  1. Les matins infidèles (Film cinématographique).
2. Cinéma - Québec (Province) - Production et réalisation. 3. Acteurs et actrices de cinéma - Québec
(Province) - Interviews. 4. Producteurs et réalisateurs de cinéma - Québec (Province) - Interviews. I.
Bouvier, François, 1948-   . II. Titre.

PN1997.M37B42 1989   791.43'72   C89-096403-3

Dépôt légal : Bibliothèque nationale du Québec, 3e trimestre 1989

Inprimé au Canada

Notre catalogue vous sera expédié sur demande :
Les Éditions Saint-Martin
4316, boul. Saint-Laurent, bureau 300
Montréal, (Québec) H2W 1Z3
(514) 845-1695

PRÉSENTATION

Quand on me demande ce que je fais, que je réponds que je travaille dans le domaine du cinéma... comme réalisateur et qu'en ce moment je suis sur un projet, la question qui suit est immanquablement: «C'est quoi l'histoire?» Au début, je suis content de raconter. Je tâche de bien résumer l'action tout en accentuant ce qui me passionne, ce par quoi, à mon avis, le film sera différent et, donc, probablement intéressant. Puis, à mesure que le temps passe, que le film s'élabore, que le scénario se peaufine et que la préparation avance, il devient de plus en plus fastidieux de répéter cette foutue histoire et ses aspects «différents». J'ai parfois alors envie de répondre par des formules du genre: «C'est trop long à expliquer, c'est compliqué, l'histoire n'est pas vraiment importante...» Mais je me retiens. J'ai fini par m'apercevoir qu'en racontant la fameuse histoire chaque fois, cela m'oblige à me rendre compte de choses que je ne voyais pas ou plus. Je note, par exemple, que tel personnage ne doit pas être bien défini, puisqu'on me demande de l'expliquer, ou encore en disant pourquoi un autre personnage fait ça, je me rends compte que ça n'a pas de bon sens. Finalement, lorsque j'ai de la difficulté à raconter le film, c'est que «l'histoire» n'est pas encore au point. Bref, je me plie à l'exercice avec courage mais non sans lassitude. N'oublions pas qu'une production comme *Les Matins infidèles* s'est déroulée sur quatre ans, et que *Jacques et Novembre* s'était échelonné sur sept ans!!!

Eh bien! la voici donc l'histoire des Matins infidèles, une fois pour toutes. Il y a le scénario complet avec dialogues et indications de découpage. Il y a même le récit du tournage avec les petits problèmes et incidents de parcours qui font les joies et les tourments d'un long métrage. Il y a aussi les commentaires de presque toutes les personnes qui ont travaillé sur le film. Comme hors-d'œuvre, il y a, en annexe, un calendrier de la production, une liste sommaire de l'équipement utilisé, les grandes lignes du budget, ainsi qu'un lexique des termes techniques pour les profanes.

Voilà d'ailleurs une des raisons qui a motivé la rédaction de ce livre: sa fonction pédagogique. À force de se faire demander par les étudiants, et même les professeurs de cinéma, et à force de raconter l'histoire et le comment-s'est-fait-le-film, on s'est dit qu'on pourrait l'écrire une fois pour toutes...

C'est donc sans prétention et sans trop de pudeur qu'on étale ici les dessous de ce film. Sans prétention, c'est-à-dire que le fait de cette publication ne rend pas *Les Matins infidèles* un film exceptionnel (remarquez que j'aimerais qu'il le soit, mais au moment où j'écris ces lignes, le film n'est pas encore sorti, le regard qu'on porte dessus vient donc de l'intérieur et je ne sais plus si c'est bon ou pas). Sans trop de pudeur parce que nous avons choisi un point de vue personnel et intimiste et que cela implique du linge pas toujours propre et un peu de lessive. Rassurez-vous, il n'y a eu ni esclandres ni coups d'éclat qu'on aurait cachés. À l'image de toute cette production, à l'image de François et de moi sans doute, ce film s'est fabriqué, tous comptes faits, dans une certaine harmonie.

Jean Beaudry

Juillet 1989

La semaine dernière, je travaillais à transcrire la version filmée des *Matins infidèles*. Aujourd'hui, presque deux ans après le premier jour de tournage, je relis les textes, les entrevues et le journal de bord qui composent ce livre. Tout cela me ramène en arrière, si loin me semble-t-il, malgré le fait que le film ne soit pas encore tout à fait terminé — il reste encore quelques corrections d'étalonnage à effectuer. Entre le scénario et la copie finale, entre nos intentions et le résultat, entre notre rêve et la réalité, il y a un film qui s'est fait, il y a nos petites histoires, les gens qu'on a aimés et ceux et celles qu'on n'a pas aimés, il y a nos joies et nos peines, nos réussites et nos défaites, il y a nos amitiés et nos amours. Cela surgit en moi et se bouscule pêle-mêle.

Je suis arrivé au cinéma par hasard. À 30 ans, je me demandais encore ce que j'allais faire dans la vie. Je n'ai donc pas d'idées ou de fantasmes sur le cinéma que je mûris depuis ma plus tendre enfance. À 40 ans, je sais que cela fait dix ans que je fais du cinéma comme sans doute, étant ce que je suis, je ferais n'importe quoi, pour me justifier de l'air que je respire en souhaitant que cela puisse être utile à quelque chose. Et en reconnaissant que la première personne à qui je voudrais que mes films soient utiles, c'est à moi. Ceci dit, en espérant que les idées et les émotions intimes que j'exprime, coïncident, aussi intimement que possible, avec celles du plus grand nombre de gens, en commençant par ceux qui m'entourent — le cinéma étant pour moi lié très étroitement à certaines amitiés... dont celle, vieille de près de 15 ans, avec Jean Beaudry.

Ensemble, petit à petit, nous avons élaboré, fructueusement, une façon de fonctionner qui permettait, il est vrai, de bénéficier de l'avantage d'avoir quelqu'un pouvant assumer certaines parties du travail où l'on se sentait moins à l'aise, mais qui, aussi et surtout, misait sur une complicité et une confiance réciproque. Pour Les Matins infidèles, nous avons procédé à peu près comme pour

Jacques et Novembre, mais cette fois avec plus de rapidité et d'efficacité, se partageant dès le départ nos responsabilités et champs d'action.

Après avoir trouvé le sujet, nous avons développé ensemble l'histoire du film, en élaborant un canevas dramatique, scène par scène. Puis c'est le partage des tâches. Je compose une première version du scénario que Jean commente et critique rigoureusement, en questionnant tout — le fatiguant —, en rajoutant des dialogues, coupant dans les miens, en proposant de nouvelles avenues, de nouvelles idées. Deuxième écriture, deuxième correction. Nous reprenons ce manège, quatre ou cinq fois, jusqu'à ce que nous soyons tous deux pleinement satisfaits de la version finale que nous pouvons alors signer conjointement.

Alors que je travaille surtout l'histoire, Jean établit les principes de la manière de la raconter, en concevant l'ensemble du traitement cinématographique. Par la suite, le repérage, le découpage technique, le choix des comédiens et des comédiennes se font à deux. Pendant le tournage, je fais la mise en scène, Jean joue un des rôles principaux. Ensuite, il supervise le montage, pendant que je retourne à la production.

La plus grande exigence de cette méthode de travail, malgré qu'elle permette le réel transfert de la responsabilité du film selon les étapes, c'est qu'elle demande une constante négociation. Que d'heures avons-nous passées à discuter! Pour malheureusement, parfois, un détail. Mais toutes nos discussions ne furent pas vaines, au contraire. Elles s'inscrivaient dans une dynamique constructive, et nous conservions toujours la même certitude, malgré nos avis parfois partagés, que fondamentalement nos objectifs étaient les mêmes. Mais, inévitablement, il y eut des frustrations: Jean, en cours de tournage et moi, pendant le montage. Aujourd'hui les miennes me semblent futiles. J'imagine, que c'est la même chose pour Jean.

Sur ce film, nous avons voulu nous donner des conditions qui, sans être révolutionnaires, ne sont pas courantes: fonctionner avec un budget modeste, former et travailler avec une «petite» équipe, privilégier des journées de tournage de 8-9 heures, prévoir beaucoup de jours de répétitions avec les acteurs et les actrices, beaucoup de jours de préparation avec les techniciens et techniciennes, mettre l'accent sur une atmosphère de plaisir, etc... Nous nous sommes dit, en misant sur ces conditions, que nécessairement, le résultat, le film, en profiterait de façon positive et que cela serait tangible à l'écran. Mais les normes de l'industrie, les conventions, les ententes, l'art de faire et les habitudes, imposent aussi des conditions, contre lesquelles il est bien difficile d'aller, surtout quand la production se «qualifie» comme production «professionnelle». Je me suis parfois senti bien loin du mode de production artisanale de Jacques et Novembre, en sachant pourtant fort bien discerner les avantages réels de fonctionner avec un budget confortable. J'ai réalisé que j'étais en train d'apprendre à faire du cinéma. Notre prochain film en tiendra compte tant du point de vue de la production que de la réalisation.

C'est en réalisant qu'on devient réalisateur. Dans le contexte d'une industrie comme la nôtre, les techniciens, ces dernières années, ont acquis 10 fois plus d'expérience que les réalisateurs qui, majoritairement, ne tournent qu'aux trois ou quatre ans. De telle sorte que les premiers jours, je suis arrivé sur le plateau rouillé, pour ne pas dire perdu (demandant presqu'en cachette comment s'appelle le machin-truc là à côté du truc-machin), confronté à une équipe de techniciens aguerris et, pour certains, déjà complices. La crainte qui m'animait était de perdre le contrôle du film, d'abandonner la mise en scène au savoir-faire de chacun et de nous retrouver en bout de ligne avec un film techniquement bien fait mais qui n'aurait plus rien eu du projet de départ. Puisque l'équipe était nouvelle, il a fallu prendre le temps de s'apprivoiser et de se connaître. Nous profitions, heureusement, d'une longue préparation qui nous a permis de faire un bon déblayage dans ce domaine. Mais les tensions et les pressions du plateau éclairent différemment les visages, de sorte qu'il me fallut un certain temps — chacun ses problèmes! — avant de me sentir parfaitement à l'aise et en plein droit d'obtenir concrètement ce que j'avais dans la tête.

Pour des raisons bien différentes, il y a deux scènes de ce tournage que je retiens particulièrement. La première, celle du marathon, était à la fois un défi technique, un défi d'acteur et le défi du film. Tourner cette scène en plan-séquence, pendant quatre minutes, à la steadycam — l'assistant devait faire les foyers à distance — en exigeant du comédien qu'il court, qu'il sprinte plutôt, sur une distance de plusieurs centaines de mètres, pendant le vrai marathon — ce qui limitait les possibilités de reprise à 2 ou 3 tout au plus, alors que nous n'avions jamais pu faire une répétition complète — tout en sachant que la scène était essentielle, comme une clef de voûte, au film, voilà qui représentait un énorme coefficient de difficulté. Avant le tournage, on nous conseillait, avec gentillesse, pour nous protéger, de découper la scène en segments. Stimulant l'équipe et stimulés par l'équipe, nous avons tenu notre bout et relevé le défi parce que cette manière audacieuse, sinon téméraire, de tourner le plan correspondait parfaitement avec la vision que nous en avions. La réussite de ces 4 minutes reposait entièrement sur l'habileté, la précision et l'efficacité de chacun;

une erreur de quiconque aurait pu faire échouer quatre jours de préparation. Ce plan est certainement le plus beau plan d'équipe que j'ai vu, n'ayant eu moi-même, pendant son déroulement, qu'à suivre le petit peloton à la course: le plan leur appartenait entièrement. Le fait de commencer par un tel défi technique, et de le réussir, a eu pour effet de galvaniser l'équipe, ce qui a été, bien sûr, déterminant dans le déroulement du tournage.

La scène qui m'a posé, et me pose encore, le plus de difficultés demeure celle de la gifle. Elle m'a hanté longtemps avant le tournage. D'un côté je me refusais à faire gifler un enfant pour les besoins d'un film et de l'autre je savais que, dramatiquement, le scénario exigeait que le personnage du père pose ce geste. Et puis, surtout, l'enfant devait pleurer, pour vrai, il fallait y croire, c'était essentiel. Le fait que ce soit mon propre fils qui tienne le rôle de l'enfant amplifiait le dilemme. Je croyais que je pouvais lui en demander plus et pourtant cela m'éprouvait davantage. Souvent, nous en avons parlé, discuté ensemble. Il savait qu'il devait pleurer, nous n'avions pas décidé, lui et moi, comment on s'y prendrait. Au découpage, nous avons convenu que la seule solution, pour que la scène soit réussie, était de surprendre Laurent et de le gifler. Il était d'accord. Lors du tournage, j'avais pris toutes les précautions pour que nous n'ayons pas à reprendre la prise. Pourtant, et cela m'enrage encore, il a fallu la refaire une deuxième fois, la première n'étant pas assez convaincante. J'ai longtemps vécu avec la culpabilité de cela. Même encore aujourd'hui je ne suis pas très à l'aise avec cette histoire, me demandant si j'avais le droit de faire cela à un acteur, à un enfant, à mon fils. C'est pourquoi, d'ailleurs, au montage, je n'ai pas été capable de mettre cette scène telle quelle. J'ai voulu me servir du trouble que je ressentais et le transposer dans la mise en scène pour aller plus loin. Et c'est aussi pourquoi, plus tard, nous avons tourné des plans rapprochés pour les insérer dans la scène où il a fallu ralentir l'image, trafiquer le son comme pour nier qu'elle eut lieu ou comme pour ne pas vouloir profiter de cette vérité qui n'appartenait pas au film. Ce n'était pas le fils de Jean-Pierre qui pleurait, ni même l'acteur, mais mon fils. Laurent, lui, me dit que l'important est que la scène soit bonne. Merci Laurent.

Ma tâche de producteur, émotivement, a été beaucoup plus facile à accomplir. Une fois, enfin, la structure financière complétée et les paramètres de production établis, j'ai dû me libérer de ces préoccupations et, bien entouré par des complices qui poursuivaient le travail, me consacrer pleinement à la réalisation.

De toute manière, je crois qu'il est de la responsabilité du producteur de rendre le réalisateur libre. Libre de faire son film, sans contraintes, sans exigences, à l'intérieur des paramètres don-nés. Je persiste à croire qu'un film est l'affaire du réalisateur et, si le film est bon, c'est grâce à lui, s'il est mauvais, dommage, mais c'est à cause de lui. Le producteur aide donc à déterminer les para-mètres de réalisation; sa principale qualité étant de trouver l'équa-tion juste qui convienne financièrement à un film, à un scénario. L'équation qui fait qu'avec moins d'argent le film ne puisse se faire sans qu'il y manque quelque chose d'important et qu'avec plus d'argent il y ait gaspillage. Or, le plus difficile est de conser-ver la rigueur et l'humilité afin de garder le budget le plus bas possible et résister à la tentation constante du luxe que permet, bien souvent, le cinéma. C'est en ce sens que nous travaillons aux Pro-ductions du lundi matin en se battant, comme producteur de films d'auteur, pour aller nous aussi chercher de cet argent disponible dans l'industrie du cinéma, sans laisser tout le terrain à ceux pour qui faire du cinéma ne semble être qu'affaires de millions.

François Bouvier

juillet 1989

TRAITEMENT CINÉMATOGRAPHIQUE

Ce film met en scène deux personnages et leur manière respective de faire face à la réalité. C'est à partir de ces paramètres que va s'articuler le traitement cinématographique, c'est-à-dire le triangle: Marc, Jean-Pierre et la Réalité.

Marc et Jean-Pierre empruntent des trajectoires différentes, voire opposées: l'un se coupe de la réalité, de son travail, de son monde et s'enferme en lui-même, l'autre, qui arrive de moins en moins à faire face à la réalité, s'embourbe et se disperse en multipliant les obligations qu'il ne peut rencontrer. L'un, Marc, est en implosion. L'autre, Jean-Pierre, est en explosion.

Jean-Pierre est une personne d'action
toujours en mouvement,
un sprinteur
au souffle court,
un exubérant
éparpillé,
dispersé.
Il sera filmé «très découpé»
en plans courts,
nombreux,
avec une caméra alerte,
mobile.
C'est un être passionné,
flamboyant.
Il rêve.
Il aime les beaux vêtements.
Il accumule les objets,
les gadgets.
Le décor et les costumes en témoigneront.
Jean-Pierre est un extraverti.
Il est bavard.
Il s'entoure de musique, de bruit.
Le traitement du son
en tiendra compte.

19

C'est un être morcelé,
fragmenté,
instable,
en déséquilibre,
en rupture.
Il sera filmé en discontinuité,
jamais de plain-pied
en un seul plan.
Le montage se fera sur un rythme brisé,
hachuré.
Jean-Pierre se bute à la réalité.
Il s'y brise.
Il s'y perd.
Il s'y noie.
La caméra devient de moins en moins mobile.
Le personnage devient de plus en plus
décentré
par rapport au cadrage de l'image.
Il se situe de plus en plus
à la limite
du hors-champ.
La mécanique s'enraye.
La caméra s'immobilise.
Le personnage,
isolé,
s'agite.
Il se débat
tragiquement.
Il explose.

Marc inspire de prime abord la stabilité et semble sans histoire; s'il lui arrive de se trouver en période de crise, il est malhabile à exprimer sa colère. C'est une personne retenue. Il sera filmé, contrairement à Jean-Pierre, en continuité, en employant de façon systématique le plan-séquence, ainsi qu'une prise de son qui mettra en relief le silence, l'atmosphère. Un autre trait important de son caractère est sa rigueur, qui en fait un être sur lequel on peut toujours se fier mais qui le pousse en même temps et trop souvent vers l'intransigeance, et ce, autant envers lui-même qu'envers les autres; et de l'intransigeance au mépris, il n'y a parfois qu'un pas. La caméra sera pratiquement immobile, les cadrages rigoureusement équilibrés, le décor dépouillé. Marc est du type coureur de fond pour qui le jogging quotidien devient une discipline de fer et un appel au dépassement; il est persistant et constant. Les plans seront longs, le montage lent, nous permettant de mieux faire sentir ces dimensions de durée et d'intériorité qui le caractérisent. Au fur et à mesure qu'il s'isole, qu'il se replie sur lui-même et s'immobilise, la caméra, elle, s'anime, lentement, s'éloigne du personnage en le plaçant bien au centre du décor dans lequel il semble de plus en plus absent. Marc, au milieu de son monde, de son âge, de sa vie; au milieu d'un plan large, comme un point de fuite, une implosion.

Les rapports avec la réalité qu'entretiennent les deux personnages, chacun à sa façon, et qui constituent le nerf central du film, se trouvent condensés dans le projet photo-écriture.

C'est par leur façon respective de vivre ce projet que nos deux personnages vont le mieux exprimer leur cheminement intérieur.

Ce projet devient en réalité un catalyseur de la dégradation de leurs rapports avec la réalité; il cristallise leurs comportements et leurs attitudes en leur conférant une valeur métaphorique.

Jean-Pierre, incapable d'affronter la réalité, arrange, organise ce qui se passe sur le coin de rue. Marc, dans son écriture, déforme, interprète la réalité du coin de rue à laquelle il a accès par les photos.

Le coin de rue sera filmé comme si c'était un documentaire en «direct».

Par cette approche du «direct», il s'agit de donner au projet photo-écriture une dimension qui élargisse le sens du film et donne au spectateur le sentiment que le réel auquel se confrontent les deux personnages devient tout-à-coup, au-delà de la fiction, celui du quotidien d'un vrai coin de rue de la ville.

Entendons-nous bien, le coin de rue et les photos sont autant de la fiction que le reste du récit; le traitement documentaire va servir à opérer un glissement de sens et donner un effet de «vraie» réalité

C'est une caméra d'observation, de reportage presque, qui va capter les fausses «vraies» scènes de rue et faire basculer la fiction dans l'apparence du documentaire.

Le passage de l'action en mouvement qui se déroule sur le coin de rue à la photo fixe prise par Jean-Pierre va se faire par la technique de l'image qui se gèle et qui devient en noir et blanc.

Traitées de cette façon, toute l'action du coin de rue, ainsi que les photos elles-mêmes, vont servir à ponctuer le film et à lui conférer, paradoxalement par un effet de réalisme, une dimension symbolique et métaphorique.

Toutes ces considérations sur le traitement cinématographique ne constituent pas pour nous un cahier de charges qui devra s'appliquer à la lettre. Il s'agit plutôt de tracer une intention et de donner une orientation à notre travail ultérieur de réécriture et surtout de préparation de tournage. Tout en racontant une histoire, il s'agit pour nous de rendre présent sur l'écran ce fait que nous sommes en train de raconter une histoire et ainsi de créer pour le spectateur un effet de distanciation. C'est pour cette raison que nous voulons marquer la différence des deux traitements cinématographiques utilisés pour chacun des deux personnages, et la technique de documentaire-photo.

Cet effet de distanciation ne s'appuie pas uniquement sur une démarche théorique. Dans «Duluth et Saint-Urbain[1]» , il sert à marquer, dans le rapport même spectateur-spectacle, une analogie, ou, du moins, une référence au rapport individu-réalité.

Le contenu est tout entier dans la forme, et il nous importe de se questionner sur le rapport du spectateur au film en même temps que sur celui que nos personnages entretiennent avec la réalité.

Jean Beaudry
François Bouvier

Avril 1985

---

1. Ce texte a été écrit au moment de la scénarisation et c'est durant le montage que le titre définitif est devenu *Les Matins infidèles.*

DÉCOUPAGE

(00:00) SCÈNE 1

Extérieur, jour. Un coin de rue dans un quartier populaire de Montréal.

1. Plan large, fixe
Bruits de ville
Début musique 01:09

Le coin de rue est désert. Personne à l'arrêt d'autobus. Aucune voiture dans la rue. Une neige à gros flocons tombe doucement. Sur la droite, un jeune arbre enveloppé de neige. Dans la vitrine du snack-bar «Le bedon-dodu», une horloge indique huit heures pile. Dans l'autre vitrine, une banderole du temps des fêtes souhaite la bonne année. Dans la porte du restaurant, une petite affiche: Fermé.

L'image fige et devient photo noir et blanc.

(01:45) SCÈNE 2

Intérieur, lever du jour. Chez Marc, dans la salle de travail.

2. Plan-séquence, lent
travelling arrière

La caméra recule lentement de la photo de la scène précédente; on découvre un grand babillard sur lequel sont épinglées une vingtaine d'autres photos, toutes du même coin de rue. Au-dessous de chacune, une date indiquant la prise de vue. On entend taper à la machine à écrire.

Marc (hors-champ)

J'aurais pu être un eucalyptus à l'ombre d'un temple grec ou un palmier nonchalant sur une plage des Îles Marquises. Il a fallu qu'on me plante ici, seul, sur ce coin insignifiant. Me voilà grelottant et barbouillé de neige. Les passants sont passés sans me regarder et moi je vois passer le temps sur mon trottoir trop étroit. Je me sens pourtant l'énergie d'un coureur de marathon. Mes racines courent sous le trottoir.

Marc est assis à sa table de travail. Avec l'air fatigué de celui qui n'a pas fermé l'œil de la nuit, il écrit à la dactylo. On entend un bip-bip. Marc jette un coup d'œil à sa montre, en arrête la sonnerie puis continue à écrire.

Fin musique 02:13

(02:13) SCÈNE 3

Extérieur, jour. Le coin de rue.

«Clic». Photo noir et blanc. *(L'effet photo est suggéré par le son du déclic d'un appareil-photo au début du plan.)*

3. Idem plan 1

Une charrue recouverte de neige cache la devanture du snack-bar. On voit quand même l'horloge qui indique huit heures.

(02:14) SCÈNE 4

Intérieur, jour. Chez Jean-Pierre, dans la chambre à coucher.

4. Plan pied, panoramique à droite

Jean-Pierre entre dans la chambre, son appareil-photo en bandoulière, un trépied sous le bras, une boîte à lunch d'enfant dans une main et un sac de voyage dans l'autre. Il s'approche du lit, l'air impatient. Julie est couchée.

Jean-Pierre   Julie! Laurent!... Come on... J'suis pressé...

Laurent   Laurent est pas là!

Jean-Pierre   Envoye, vite mon chenapan, on s'en va voir ta maman! Viens-t-en!

5. Plan moyen, fixe, changement d'axe

À ces mots, Laurent, tout emmitouflé dans son

habit de neige, sort rapidement des couvertures. Jean-Pierre se penche sur Julie et l'embrasse. Laurent l'imite.

Jean-Pierre Bye, à ce soir...

Julie Chez moi...

Jean-Pierre Chez toi, ok... (à Laurent) Ok, dis bonjour à Julie.

À son tour, Laurent se penche sur Julie et l'embrasse.

Laurent Bonjour Julie.

Julie Bonne semaine!

Laurent Bonne semaine!

Jean-Pierre prend Laurent dans ses bras et sort de la chambre.

**Jean-Pierre
(à Laurent)** C'est ça, bonne semaine Julie. Bye, bye!

Julie replonge sous les couvertures en les ramenant par-dessus sa tête.

(02:38) SCÈNE 5 **Extérieur, jour. Chez Jean-Pierre, escaliers extérieurs.**

*Début musique 02:38
6. Plan large, travelling vertical de haut en bas, léger panoramique à droite
Fin musique 02:57*

Une abondante couche de neige couvre tout. Jean-Pierre, encombré de ses sacs, équipement photo et trépied, aide Laurent à descendre l'escalier. Tous deux s'éloignent sur le trottoir en riant.

(02:57) SCÈNE 6 **Extérieur, jour. Le coin de rue**

«Clic». Photo noir et blanc.

7. Idem plan 1	Le coin de rue. L'horloge indique huit heures. Une jeune femme attend l'autobus.

(03:00) SCÈNE 7 Intérieur, matin. Chez Marc, dans le hall d'entrée.

8. Plan-séquence, plan moyen	Marc met en fonction le répondeur téléphonique. Pendant qu'il enfile un petit sac à dos et met sa tuque, on entend l'annonce du répondeur.
Pauline (hors-champ, répondeur)	«Bonjour. Vous êtes bien chez Marc et Pauline mais on est pas là pour l'instant. S'il vous plaît, laissez votre message et on vous rappelle le plus tôt possible. Bonne journée!»
	Marc ajuste les écouteurs de son balladeur sur ses oreilles. On entend la porte d'entrée s'ouvrir, Marc enfile ses gants. Pauline monte rapidement l'escalier intérieur, arrive tout près de Marc et l'embrasse. Petit silence de gêne.
Marc	T'as passé une bonne nuit?...
	Pauline s'arrête et le regarde un instant. Tendrement, elle ajuste le foulard de Marc et l'embrasse à nouveau. Marc descend les escaliers. Pauline le regarde partir.
Pauline	Bonne journée!

(03:38) SCÈNE 8 a) Extérieur, jour. De l'autre côté du coin de rue.

9. Plan moyen	Avec l'aide maladroite de Laurent, Jean-Pierre finit d'installer son trépied. Il règle le niveau, ajuste le foyer et s'apprête à prendre sa photo lorsque...
10. Gros plan Laurent	Laurent, en s'appuyant sur le trépied, l'empêche de faire son cliché.

28

11. Gros plan Jean-Pierre	Visiblement agacé, Jean-Pierre s'adresse à Laurent:

Jean-Pierre   Non Laurent, attends une minute-là, bouge pas, attends une minute. Attention...

Jean-Pierre vérifie rapidement les ajustements de foyer, attend quelques secondes et appuie finalement sur le déclencheur de son appareil: «clic».

(03:57) SCÈNE 8 b)   Extérieur, jour. Le coin de rue.

Début musique 03:57
12. Idem plan 1   Photo noir et blanc.

Quelques personnes, dont la jeune femme (scène 6), attendent l'autobus. Une voiture est stationnée devant l'arrêt. Un préposé au stationnement est en train de donner une contravention à l'automobiliste qui, un café à la main, semble discuter fermement.

(04:00) SCÈNE 8 c)   Extérieur, jour. Le coin de rue.

13. Idem plan 12   La photo noir et blanc s'anime et devient couleur.

On voit Jean-Pierre, de dos, traverser la rue en tenant Laurent par la main. En passant à côté du préposé au stationnement, Jean-Pierre lui adresse quelques mots. Le préposé lui fait signe de passer son chemin (on comprend qu'il lui dit de se mêler de ses affaires). Jean-Pierre continue un instant à discuter, le préposé s'impatiente. Finalement, Jean-Pierre entre dans le snack-bar avec son fils. L'automobiliste prend la contravention et s'en va.

(04:27) SCÈNE 9   Extérieur, soir. Patinoire extérieure.

14. Plan large, travelling vertical de bas en haut, recadrage

Alors que Marc, un genou au sol, attache ses lacets de patins, Jean-Pierre arrive à toute vitesse et freine brusquement devant lui en l'éclaboussant de neige. Marc se relève difficilement alors que Jean-Pierre tourne autour de lui en se moquant.

15. Fondu enchaîné, idem plan 14

Jean-Pierre lui apprend à patiner à reculons. Marc suit ses instructions en essayant péniblement de garder son équilibre.

16. Fondu enchaîné, idem plan 14

Ellipse de temps.

En file indienne avec les autres patineurs, Jean-Pierre et Marc, nettoient la glace avec des pelles. Jean-Pierre s'arrête pour parler à une jeune fille. Marc continue son chemin.

Fin musique 04:58
17. Fondu enchaîné, plan large

Ellipse de temps.

La nuit est maintenant tombée. La patinoire est presque déserte. Marc et Jean-Pierre sont assis sur un banc.

Marc Comment ça va avec Julie?

Jean-Pierre Oh ça va bien... Elle a lâché son gars de Québec

30

pis on s'en va rester en campagne ensemble... Je l'aime comme un fou!

Marc Profites-en.

Jean-Pierre Pis toi, comment ça va avec Pauline?

Marc Oh... Elle a une p'tite aventure de c'temps-là... C'est normal, c'est des choses qui arrivent...

18. Plan moyen, fixe   Ellipse de temps.

Dans le vestiaire, Jean-Pierre et Marc, assis côte à côte, continuent leur conversation en retirant leurs patins.

Jean-Pierre Veux-tu venir souper à la maison avec nous autres?

Marc Non, non, j'rentre. J'm'en vais écrire.

Jean-Pierre Comment ça avance le roman?

Marc Ça va bien. Je m'y mets tous les jours. Ça avance, j'ai trouvé mon personnage.

Jean-Pierre En tout cas, les photos c'est un contrat! T'as-tu deviné c'est où le coin de rue?

Marc Non.

Jean-Pierre Veux-tu avoir un indice? Veux-tu savoir dans quel quartier c'est?

Marc Achale-moi pas avec ça. Ça m'intéresse pas. C'est pas l'histoire d'un coin de rue que j'fais, c'est un roman que j'écris à partir de tes photos. Nuance!

Jean-Pierre J'peux-tu lire c'que t'as?

Marc Non pas question!

Jean-Pierre Comment, pas question! Hé, à huit heures le matin, moi, pendant un an de temps, j'vais prendre une photo d'un coin de rue. J't'apporte ça pis j'peux même pas lire le roman! C'est quoi ça?

Marc	Écoute, quand on aura fini, j'irai le voir ton coin de rue pis tu liras le roman, ok?
Jean-Pierre	Ok...ok. Correct. En tout cas, y'a quelque chose qui est sûr par exemple... tu patines mal en maudit.

(06:14) SCÈNE 10   **Extérieur, jour. Le coin de rue.**

«Clic». Photo noir et blanc.

19. Idem plan 1

Quelques personnes attendent l'autobus. Parmi elles, on peut reconnaître la jeune femme de la scène 6. Tout le monde regarde une petite déneigeuse qui passe sur le trottoir sauf la jeune femme qui est absorbée dans la lecture de son livre.

Marc (hors-champ)

Son livre la passionne et rien ne peut la distraire. J'ai toujours été fasciné par ces personnes qui, en observant le vacarme d'une étoile ou en croquant le silence d'un fruit, oublient que le monde existe. Moi qui gigote depuis des semaines sous mon écorce frileuse, voilà qu'à trois pas, une présence mystérieuse me donne des picotements dans les racines.

(06:36) SCÈNE 11   **Intérieur, nuit. Chez Marc.**

Début musique 06:38
20. Plan-séquence, gros plan, travelling vertical de haut en bas
Fin musique 07:00

Les chevilles serrées dans des harnais accrochés à une barre fixe, Marc se balance doucement, suspendu par les pieds. Il fait de l'inversion (technique de relaxation).

(07:00) SCÈNE 12   **Intérieur, jour. Chez Julie, dans la chambre à coucher.**

21. Gros plan

Julie dort paisiblement.

Léger zoom out à plan
moyen

Jean-Pierre arrive et l'embrasse amoureusement dans le cou. Julie se réveille.

Julie	Allô.
Jean-Pierre	As-tu faim mon amour?
Julie	Oui.
Jean-Pierre	Tiens, je t'ai apporté à déjeuner.
Julie	T'es ben fin!

22. Plan américain,
changement d'axe

Pendant que Julie prend une gorgée de café, Jean-Pierre s'installe à ses côtés, dans le lit, saisit le journal et commence à lire:

Jean-Pierre Écoute ben ça... tchèque ben c'que j'ai trouvé: «Maison de campagne, foyer, salle de bain moderne, ruisseau, terrain boisé, trente minutes du centre-ville, possibilité de bail à long terme. 800 $ par mois.» Qu'est-ce que t'en penses?

Julie C'est trop cher!

Jean-Pierre Ok, j'en ai une autre, tchèque ben. «Chalet rustique, bord de lac, foyer, luxe, calme et tranquillité, idéal pour amoureux».

23. Gros plan Julie,
profil, changement d'axe

Julie, incrédule, lui arrache le journal des mains. Alors qu'elle cherche des yeux la petite annonce, Jean-Pierre se faufile sournoisement, en riant, sous son long t-shirt. Il l'embrasse et la caresse.

Julie Es-tu fou!

Jean-Pierre Ma belle Julie d'amour... ma belle belle amour... J't'aime ma toute douce... j'ai le goût de toi, moi... au milieu, au-dedans, au mouillé de toi... jé t'aime... partout, partout, partout, partout ...

Julie Tu mets pas de condom?

Jean-Pierre Un enfant avec toi mon amour... dans ton ventre d'amour, mon amour...

(09:14) SCÈNE 13   **Intérieur, soir. Chez Marc, dans la salle de bains.**

24. Plan-séquence, plan américain

Marc est assis sur le bol de toilette. Il est tout habillé. Il semble songeur. Distraitement, il joue avec une brosse à cheveux qu'il tient entre ses mains. On entend le bruit de la douche. Le bruit s'arrête. Pauline tire le rideau. Marc se lève, prend une serviette et aide Pauline à s'essuyer.

Lent travelling avant jusqu'à plan moyen

Marc Est-ce que tu rentres coucher?

Pauline J'le sais pas...

Marc	Tu l'sais pas ou tu veux pas me le dire? Tu dois bien avoir une p'tite idée, non?
Pauline	J'vais rentrer.
Marc	Oh non Pauline, pas comme ça. Ça m'intéresse pas. J'veux juste savoir, c'est tout. Tu dois comprendre...
Pauline	Ben j'comprends Marc. J'vais rentrer...
Marc	Il faut pas que tu te sentes obligée Pauline... c'est ça qui risque de tout gâcher entre nous deux... Ton aventure, c'est rien!... Il faut pas que tu te sentes coupable...
Pauline	Facile à dire...

Léger panoramique à droite

Marc l'enveloppe dans la serviette et la serre dans ses bras. Ils sont tous les deux face au miroir au-dessus du lavabo. Marc regarde leur image. Pauline ferme les yeux.

Marc	Ben oui, je sais. Mais si on mêle la jalousie et la culpabilité à tout ça, on s'en sortira jamais... Je t'aime Pauline... Pis j'suis pas jaloux... être jaloux c'est vouloir posséder. J'veux pas te posséder moi, j'veux pas t'empêcher de vivre. Il faut que tu me fasses confiance aussi... tu penses pas?
Pauline	J'pense surtout... que tu veux pas m'dire que j'te blesse.
Marc	Y'a personne qui me blesse...

Pauline se dégage des bras de Marc, se retourne et se serre très fort contre lui. Marc fait glisser doucement la serviette et commence à caresser Pauline.

Marc	J'ai pensé qu'on pourrait peut-être faire chambre à part, un petit bout de temps. Il me semble que ça serait plus facile comme ça pour toi... pour moi aussi. Qu'est-ce que t'en penses?
Pauline	J'ai froid, Marc...

(11:26) SCÈNE 14   Extérieur, jour. Petite rue.

25. Plan pied   On voit Laurent, de dos, en train de déblayer les vitres d'une auto recouverte d'une épaisse couche de neige.

26. Plan pied,   Il s'arrête brusquement et, en s'avançant,
changement d'axe   demande:

Laurent   J'veux ma pelle rouge, papa!

27. Plan genou,   Jean-Pierre est en train de pelleter rapidement
contrechamp Jean-Pierre   un banc de neige devant la voiture.

Jean-Pierre   Non, je l'ai pas ta pelle rouge. Est chez ta maman, ta pelle rouge... M'a t'en acheté une autre demain, ok?

28. Plan pied   Laurent se laisse tomber dans un banc de neige.

Jean-Pierre   Ben non! Assis-toi pas là, tu vas pogner les
(hors-champ)   hémorroïdes!

Laurent   C'est quoi les hémorroïdes?

29. Plan pied,
contrechamp Jean-Pierre

Jean-Pierre   Les hémorroïdes c'est... c'est des boules de neige qui poussent entre les fesses...

30. Plan pied   Laurent rit.

31. Plan pied,
contrechamp Jean-Pierre

Jean-Pierre   Ok, bon, viens m'aider là, y passe neuf heures.

32. Gros plan, tilt up   Derrière la voiture, Laurent tente vainement de soulever une grosse pelletée de neige.

Laurent   Aie, c'est lourd!

36

33. *Plan pied*	Jean-Pierre sort de la voiture et vient rejoindre Laurent.
Jean-Pierre	Bon, c'est beau Laurent. Maintenant, faut y aller.
Laurent	Trois pelletées encore, c'est tout.
Jean-Pierre	Non non, on a pu l'temps là. Envoye!... Come on!...
	Jean-Pierre saisit la pelle des mains de Laurent et la range dans le coffre arrière de la voiture.
34. *Plan américain*	Derrière le pare-brise encore partiellement enneigé, on distingue à peine Jean-Pierre et Laurent dans la voiture. Jean-Pierre ouvre la portière et, avec ses mains, enlève la neige restée sur la vitre.
Laurent (hors-champ)	Pourquoi ils marchent pas tes essuie-glace, papa?
Jean-Pierre (hors-champ)	Parce que... parce que... parce que y'ont les hémorroïdes!
	Jean-Pierre manœuvre pour faire avancer sa voiture qui se dégage difficilement.

(12:32) SCÈNE 15   **Extérieur, jour. Le coin de rue.**

35. *Idem plan 1*	Il neige. Dans la vitrine du snack bar «Le bedon dodu», l'horloge indique neuf heures trente. De dos, on voit Jean-Pierre traverser la rue en courant et entrer dans le restaurant pour reculer les aiguilles de l'horloge. Il les place à huit heures. Il ressort du restaurant et retraverse la rue en courant. On entend le déclic de l'appareil-photo.
	«Clic». L'image fige et devient photo noir et blanc.

(13:06) SCÈNE 16   Extérieur, jour. Le coin de rue.

«Clic». Image figée qui devient photo noir et blanc.

36. Idem plan 1   Un jeune homme à l'arrêt d'autobus. Il a un doigt dans le nez. On entend Jean-Pierre qui l'encourage.

Jean-Pierre (hors-champ)   Come on! Come on! Ok, c'est beau!

(13:13) SCÈNE 17   Extérieur, jour. Le coin de rue.

«Clic». Photo noir et blanc.

37. Idem plan 1   Parmi ceux qui attendent l'autobus, un couple s'embrasse passionnément. L'horloge indique encore huit heures.

(13:16) SCÈNE 18   Extérieur, jour. Le coin de rue.

«Clic». Photo noir et blanc.

38. Idem plan 1   Devant l'arrêt d'autobus, un taxi en panne. Le chauffeur est penché sous le capot ouvert. À l'horloge: huit heures et quelques minutes.

En sourdine, on entend le bruit d'une dactylo.

(13:18) SCÈNE 19   Extérieur, jour. Le coin de rue.

«Clic». Photo noir et blanc.

39. Idem plan 1	On entend toujours le bruit de la machine à écrire. Il neige abondamment. La jeune femme est seule sur le coin. Elle est appuyée contre l'arbre qu'elle tient discrètement «par la taille». L'horloge marque huit heures.
Marc (hors-champ)	Si ce n'était de l'hiver qui persiste et n'arrête pas de nous tomber dessus, je fleurirais d'un coup pour crier mon euphorie. Elle s'est approchée, elle a posé sa main sur mon écorce et elle a dit: «Mon arbre» comme on dit: «Mon amour».
	La photo noir et blanc s'anime et devient couleur.
Début musique 13:36	Un autobus passe sans s'arrêter. La jeune femme tient toujours l'arbre «par la taille». On entend Jean-Pierre lui crier:
Jean-Pierre (hors-champ)	Ok. Merci beaucoup. Excusez-moi pour votre autobus.
Fin musique 14:44	La jeune femme se dirige vers l'arrêt d'autobus. Trépied et sacs sous le bras, Jean-Pierre traverse la rue et vient la rejoindre. Il lui parle à grands gestes. On peut comprendre qu'il lui propose d'aller la reconduire. Ils partent. Jean-Pierre s'arrête soudain, revient vers le snack-bar, y entre et remet l'horloge de la vitrine à l'heure: il est neuf heures trente. Il va rejoindre la jeune femme qui l'attendait puis ils s'en vont.

(14:45) SCÈNE 20

	Intérieur, jour. Au collège, dans une salle de cours.
40. Plan-séquence, plan taille	Appuyé, de façon décontracté, sur le bureau en face de ses étudiants et étudiantes. Marc s'adresse à eux:

Marc	...Bref, si l'administration débloque pas d'ici deux jours, on débraye. Vous aurez le choix de nous appuyer ou pas. J'pense que vous connaissez suffisamment la situation pour comprendre les raisons qui nous motivent.

Panoramique à droite, plan genou

Il prend une pile de feuilles sur son bureau.

Marc	Bon, avant de faire l'exercice d'aujourd'hui, vous pouvez prendre vos travaux de la semaine dernière.

Marc se dirige vers ses étudiants. Ceux-ci récupèrent leurs travaux que Marc vient de déposer sur une table.

Un étudiant	M'sieur, mon travail est pas là!
Marc	Quel travail, Robert?
Robert	Ben, celui que je vous ai remis!
Marc	C'est pas un travail que tu m'as remis, c'est un torchon... J'corrige pas ça les torchons, moi!
Robert	Si c'est comme ça, j'en ferai plus d'travaux, je m'en crisse...
Marc	Moi aussi... dis-toi bien que si tu travailles pas, c'est pas moi que tu punis, c'est toi! Tu peux faire ce que tu veux, j'm'en fous... Si vous voulez arriver à quelque chose dans la vie, faut attendre après personne... surtout pas vos profs pour vous pousser dans le cul!...

Panoramique à droite, plan genou

Marc se dirige vers la grande fenêtre de la classe qui donne sur la rue.

Marc	En attendant j'vais quand même vous donner une petite poussée. Vous allez vous approcher de la fenêtre et vous allez examiner le coin de rue en face, bien attentivement pendant quelques secondes. Ensuite vous allez retourner à vos places et vous allez me le décrire en dix lignes.

Panoramique à droite,
lent travelling avant

Les étudiants se lèvent et s'approchent de Marc.

Marc   ... Dépêchez-vous...

La caméra s'approche de la fenêtre. On voit à l'extérieur. Il neige. Le coin de rue est banal, il ne s'y passe rien de spécial.

Marc   Ok, ça y est...

Début musique 16:40
Début fondu enchaîné

(16:47) SCÈNE 21

Extérieur, jour. Le coin de rue.

41. Idem plan 1
Fondu enchaîné

Il neige abondamment. La jeune femme est seule à l'arrêt d'autobus. Elle éternue. Elle fouille dans son sac à main, et en sort un mouchoir avec lequel elle se mouche discrètement.

L'image fige et devient photo noir et blanc.

Marc
(hors-champ)

Elle pleure. La peine vient de la submerger. Son petit mouchoir recueille sa détresse et je ne puis rien...

Fin musique 17:06

(17:08) SCÈNE 22

Intérieur, jour. Chez Marc, dans la salle de travail.

42. Plan-séquence, plan
rapproché, travelling
circulaire

Marc tient dans ses mains la photo de la scène précédente. Il l'accroche à sa lampe de travail, s'assoit à son bureau et commence à dactylographier en jetant quelques regards sur la photo.

Marc **(hors-champ)**	...pour elle. Je suis là comme un idiot, les branches au ciel, à déjà l'aimer mais cela ne suffit pas. Le temps qu'il fait ne m'atteint plus. Son désarroi me blesse. J'ai le vertige.

(17:24) SCÈNE 23	**Intérieur, jour. Dans le snack-bar du coin de rue.**
43. Plan taille	Derrière le comptoir du snack-bar, le patron et la patronne, l'air réjoui, examinent attentivement une photo.
Le patron	C'est pas beau ça?
La patronne	Com'è bella... Come sei venuto bene... L'ha fatta lui?... Si?? Quanto costa?...
44. Plan rapproché, *contrechamp Jean-Pierre*	Jean-Pierre, assis au comptoir, fait signe que «non» d'un air satisfait, en réponse à la question de la patronne.
45. Plan taille	À nouveau, le patron et la patronne tout sourires.
La patronne	No? Niente? Bene grazie... Dove la mettiamo Pietro? La mettiamo là??
	De la main, le patron indique un endroit où placer la photo.

Le patron	Tiens, en-dessous du permis, là. Ça va être ben ben beau. (À Jean-Pierre) J'te remercie beaucoup.
	La patronne sort du cadre.
46. Gros plan, contrechamp Jean-Pierre	Jean-Pierre, l'air satisfait, suit des yeux la patronne.
Un client (hors-champ)	Y'arrive-tu mon café!?...
Le patron (hors-champ)	Oui, oui, j'arrive... j'arrive..
47. Plan rapproché	De dos, on voit la patronne épingler la photo puis sortir du cadre. Sur la photo: le patron et la patronne, tout sourires, derrière leur comptoir.
48. Plan large du snack-bar	Jean-Pierre, s'apprêtant à partir, met son manteau et éteint sa cigarette.
Le patron	Hé! Tu prends pas un refill?
Jean-Pierre	Non merci. Faut que j'y aille... Peux-tu mettre ça sur mon compte?
Le patron	Pas de problème, on se reverra demain matin.
Jean-Pierre	Ok, bye.
49. Plan taille	Jean-Pierre part puis revient sur ses pas.
Jean-Pierre	Coudon Pietro, tu m'vendrais tu ta vieille horloge dans vitrine.

(18:13) SCÈNE 24

Extérieur, jour. Le coin de rue.

Photo noir et blanc.

50. Idem plan 1	Le coin de rue est désert. Il n'y a plus d'horloge dans la vitrine.

Marc (hors-champ) Elle n'est pas venue à notre rendez-vous. Le temps s'est arrêté.

Début musique 18:13

(18:24) SCÈNE 25 **Extérieur, jour. Sur l'estacade.**

51. Plan-séquence, plan large, travelling latéral Marc jogge sur l'estacade.

Fin musique 18:48

(18:48) SCÈNE 26 **Intérieur, jour. Chez Marc, dans le solarium.**

52. Plan-séquence, plan taille Pauline s'épile les jambes. Sur la table, près d'elle, il y a un bouquet de marguerites. On entend des bruits de pas. Marc s'avance, s'approche de Pauline, l'embrasse et lui offre un bouquet de fleurs qu'il tenait caché derrière son dos.

Marc Allô... surprise!

Marc dépose son bouquet sur la table et s'assoit en face de Pauline qui continue de s'épiler.

Pauline Hé Marc! La prochaine fois que tu m'apportes des fleurs, j't'les fais manger!!!

Silence. On sent un malaise s'installer.

Marc (dépité)   Tu t'épiles les jambes maintenant?

(19:23) SCÈNE 27 a)   Intérieur, jour. Dans un restaurant de fine cuisine.

53. Gros plan   On voit des mains déballer une gerbe de fleurs variées.

54. Plan genou   Seule dans le restaurant, Julie s'affaire à dresser une table superbement garnie. Elle y dispose quelques éléments décoratifs puis recule pour en voir l'effet.

Ellipse de temps.

55. Plan rapproché   Vue de l'extérieur, à travers la vitrine du restaurant, Julie soupire d'impatience.

Le chef (hors-champ)   Un autre café?

56. Plan américain chef, changement d'axe   Julie se retourne vivement,

et répond au chef cuisinier qui se sert lui-même une tasse de café:

Julie   Non merci.

Le chef (légèrement impatient)   On ouvre dans une heure-là!

57. Gros plan, changement d'axe

Julie (mal à l'aise)   Oui oui, je sais.

Julie se détourne vers la fenêtre.

Ellipse de temps.

58. Plan rapproché	Julie, tenant un récepteur de téléphone contre son oreille, compose un numéro et attend le temps de plusieurs sonneries.
59. Plan taille, changement d'axe	Toujours au téléphone, elle se retourne vivement lorsqu'elle entend la porte du restaurant s'ouvrir.
Travelling latéral	Elle raccroche et s'avance rapidement vers Jean-Pierre qui arrive.

Julie   Tu sais quelle heure il est?

Jean-Pierre   Ben oui, j'ai eu une crevaison en allant reconduire Laurent...

Julie   Encore...

Jean-Pierre   Oui encore, oui! (s'adressant au chef cuisinier qui arrive à son tour). Bonjour!...

60. Plan taille	Jean-Pierre dépose son trépied sur ses pattes.

Jean-Pierre   ...C'est vous le patron?...

61. Plan taille	Le patron du restaurant lui fait un sourire mauvais.
62. Plan taille	Jean-Pierre enlève son manteau et commence à installer rapidement son équipement photo.

Jean-Pierre   ...Aie! sacrament que c'est beau ça! C'est-tu vous qui avez fait tout ça? Moi qui ai même pas déjeuné, c'est de la vraie torture, ça! Non, je pense que c'est une des plus belles tables que j'ai jamais vues!...

63. Gros plan	Gros plan de Julie qui jette un regard dépité sur Jean-Pierre.

Jean-Pierre   ...Aie, j'en ai vu! Ça fait trois ans que je fais ça...

64. Plan taille Jean-Pierre	...C'est mon travail alimentaire!...
65. Plan taille	Le patron, les bras croisés, semble agacé.

Jean-Pierre ...Un de mes amis est venu manger ici juste-ment...

66. Plan taille	Jean-Pierre mire dans le viseur de son appareil.

Jean-Pierre ...la semaine dernière. Il m'en a parlé pendant une heure de temps. Y'avait mangé du... comment ça s'appelle donc, du... du bœuf Arlington... C'est-tu ça?

67. Plan taille

Le chef (sèchement) Wellington.

68. Plan rapproché

Jean-Pierre Wellington! C'est ça, Wellington! Ah oui, c'est ça! C'est-tu compliqué à faire ça? J'aimerais ça essayer de faire ça, moi, un moment donné. Faut dire que l'art culinaire...

69. Plan rapproché	Julie fait un sourire amusé.

Jean-Pierre ...c'est pas mon fort...

70. Plan rapproché	Jean-Pierre installe un trépied de réflecteur.

Jean-Pierre ...C'est comme dans tout', y'en a qui l'ont, y'en a d'autres qui l'ont pas! Moi, je l'ai pas. Pourtant, je suis toujours la recette comme il faut, pis ça marche jamais!...

71. Plan taille	Le patron soupire d'agacement.

Jean-Pierre L'art culinaire, ça s'apprend pas ça...

72. Plan taille Jean-Pierre ...c'est inné, c'est acquis, c'est génétique ça. Si tu l'as tant mieux, si tu l'as pas, tant pis, tu vas manger au restaurant. Moi, ma mère non plus elle l'avait pas...

(21:23) SCÈNE 27 b) **Extérieur, jour. Devant le restaurant de fine cuisine.**

Début musique 21:23

73. Plan large

Julie et Jean-Pierre sortent du restaurant avec sacs et valises. Le coffre arrière de la voiture est resté ouvert. Jean-Pierre y place son équipement et referme le coffre.

74. Plan taille

Jean-Pierre ouvre la portière, monte dans sa voiture et fait démarrer le moteur. Dans le pare-brise, il y a une contravention. En la voyant, Jean-Pierre fait un geste d'impatience, ouvre la portière, saisit la contravention et la jette par terre.

75. Plan large

La voiture démarre, laissant voir, sur le trottoir, la contravention à coté d'une borne-fontaine.

Fin musique 21:55

(21:56) SCÈNE 28   Extérieur, jour. Près du collège.

76. Plan-séquence, plan   Marc est dans une cabine téléphonique. Pendant
taille, travelling latéral,   qu'il parle au téléphone, on voit, en arrière
panoramique à droite,   champ, un collègue descendre de sa voiture.
légère plongée   Marc lui fait signe, l'autre l'imite puis traverse
     la rue,

Travelling latéral   pendant que Marc continue sa conversation
     téléphonique.

Marc   Allô, Pierrette! C'est Marc... Ouf! J'avais peur
     que tu sois déjà partie. Écoute, c'est parce que
     ça serait mieux si tu venais juste demain (...)
     Ouan, c'est ça, ben Gérald peut pas être là (...)
     Alors, on va manquer de monde. Oui, oui, c'est
     ça. Ça t'embête pas trop? Bon, oui parfait (...)
     Oui oui, tout le monde est là. Alors ok, parfait,
     à demain (...) Oui oui c'est ça, salut Pierrette!

     On entend Marc raccrocher. On le voit traverser
     la rue, rejoindre son collègue et le groupe de
     grévistes devant le collège.

Marc   Salut! Tout le monde est là. Bon, j'prendrais
     bien un bon café. Qui c'est qui devait l'apporter
     à matin?

Un des grévistes   Pierrette s'en vient avec.

Marc   Christi!

(22:40) SCÈNE 29 a)   Intérieur, soir. Chez Jean-Pierre, dans le salon.

77. Gros plan   Une main d'enfant tenant un gros pinceau trace
     de grands traits bleus. On entend l'enfant
     fredonner.

78. Plan large   Dans le salon, une grande toile recouvre le tapis.
     La pièce ressemble à un vrai terrain de jeux.
     Partout des jouets, des dessins, des livres, etc.

49

Laurent s'en donne à cœur joie à peindre, directement sur le mur, une fresque multicolore, pendant que Jean-Pierre écoute une partie de hockey.

79. Plan rapproché	Jean-Pierre jette un coup d'œil vers Laurent.
80. Plan rapproché	Laurent continue à peindre en fredonnant.

Jean-Pierre
(hors-champ)

C'est beau mon coco!

Laurent se retourne vivement vers Jean-Pierre.

81. Plan rapproché	Jean-Pierre fait un clin d'œil à Laurent.
82. Plan rapproché	Laurent lui rend son clin d'œil.
83. Plan rapproché	Jean-Pierre sourit à son fils puis revient à sa partie de hockey.

(23:15) SCÈNE 29 b) Intérieur, soir. Chez Jean-Pierre, dans la chambre à coucher de Laurent.

Début musique 23:15
84. Plan américain

Jean-Pierre borde Laurent puis quitte silencieusement la chambre.

Fin musique 23:29

(23:29) SCÈNE 29 c) Extérieur, soir. Rues de Montréal.

Début musique 23:29
85. Gros plan, profil

Jean-Pierre conduit rapidement malgré la pluie abondante. À tout instant, il sort la tête par la fenêtre pour mieux voir devant (les essuie-glace ne fonctionnent pas).

86. Plan large, plongée

Il s'arrête au milieu d'une petite rue à sens unique, bloquant ainsi complètement le passage. Il sort de son auto et traverse la rue en courant.

50

87. Plan américain	Essoufflé, il arrive au haut d'un escalier extérieur, sonne à une porte et attend impatiemment.
88. Idem plan 86	Dans la rue, un camion de vidanges arrive derrière son auto et klaxonne bruyamment à plusieurs reprises.
89. Idem plan 87	Jean-Pierre entre dans le logement.
90. Plan large	Le camion est maintenant tout juste derrière la voiture de Jean-Pierre. Deux éboueurs courent ramasser des sacs d'ordures sur le trottoir pendant qu'on entend toujours les coups de klaxons insistants.
91. Plan large	Jean-Pierre descend quatre à quatre les marches de l'escalier extérieur et s'avance rapidement vers son auto,
Travelling vertical de haut en bas	ouvre la portière et crie, impatient, vers le chauffeur du camion de vidanges:

Jean-Pierre Ben oui... Ben oui... Les nerfs hostie!

Il s'engouffre dans sa voiture et démarre.

Fin musique 24:35

(24:35) SCÈNE 29 d)   Intérieur, soir. Chez Jean-Pierre.

92. Plan large   De dos, on voit Jean-Pierre ouvrir la porte d'entrée, traverser le corridor et le salon,

Début musique 24:43
93. Plan rapproché   et entrer dans la chambre de Laurent. Essoufflé, trempé, il s'assoit sur le bord du lit, se penche sur son enfant,

Recadrage   l'embrasse tendrement et quitte la chambre. Laurent dort paisiblement.

Fin musique 25:09

(25:10) SCÈNE 29 e)   Intérieur, soir. Chez Jean-Pierre, dans le salon.

94. Plan large   Jean-Pierre est assis par terre. Avec une lame de rasoir, il fait des lignes de coke sur une table lumineuse devant lui. Il éteint sa cigarette et s'en rallume tout de suite une autre.

95. Plan rapproché   Puis, lentement, il roule très serré un billet de banque.

Début musique 25:52   En relevant la tête, il remarque, fasciné,

96. Plan pied   la murale de son fils. Deux soleils, deux arbres, deux maisons et au milieu, un petit garçon.

97. Plan rapproché   Jean-Pierre regarde attentivement, tristement, le dessin.

Fin musique 26:04

(26:07) SCÈNE 30   Intérieur, jour. Chez Marc, dans la salle de travail.

98. Plan-séquence, plan
américain, lent travelling   On voit Marc, de dos, assis à sa table de travail.
avant jusqu'à gros plan   Il dactylographie.

Marc (hors-champ)   Une passion contaminée, coincée entre deux...

Il arrête d'écrire, désœuvré. Il déplace quelques feuilles, un crayon, regarde la photo près de lui, défait la ceinture de son pantalon et commence à se masturber. Le travelling avant se termine en gros plan sur la feuille insérée dans la machine à écrire. On peut y lire: «Une passion contaminée, coincée entre deux».

On entend la sonnerie du téléphone. Marc répond en reprenant son souffle.

Marc (hors-champ) Allô!... Ah salut, c'est toi... Non non... Non, tu me déranges pas...

(27:16) SCÈNE 31

Intérieur, jour. **Au poste de police.**

99. Plan rapproché

Jean-Pierre, appuyé sur le comptoir, est au téléphone. Une cigarette entre les lèvres, il cherche des allumettes dans ses poches.

Jean-Pierre Tu travaillais! Ah, excuse-moi! Dis donc Marc, euh... qu'est-ce que t'aimerais mieux, aller chercher Laurent chez sa mère ou ben donc venir me chercher en prison?...

100. Plan taille

Jean-Pierre fait un demi-tour sur lui-même, et demande du feu à la policière qui passe près de lui. Elle l'allume.

Jean-Pierre ...Ouais, j'ai... j'ai pas payé mes tickets!... Au poste 46, Saint-Urbain...

101. Plan rapproché

Jean-Pierre ...Tu serais mieux d'apporter du cash un peu par exemple... 630 $... Ouais, ouais (...) Ben oui, ben oui, j'le sais (...) J'le sais... O.k. j't'attends là (...) Non non, je bouge pas d'ici, promis (...) O.k., c'est ça. (...) Bye bye.

102. Plan rapproché

Il se retourne et raccroche. Puis, il demande:

53

Jean-Pierre	Auriez-vous un cendrier?

(28:14) SCÈNE 32 a)   **Extérieur, jour. Devant le poste de police.**

103. Plan large

Marc et Jean-Pierre sortent du poste de police et descendent les marches de l'escalier extérieur.

Jean-Pierre	Avoir su, je t'aurais demandé de m'apporter un chandail.
Marc	Un chocolat chaud avec ça, peut-être?

(28:23) SCÈNE 32 b)   **Extérieur, jour. Rues de Montréal.**

104. Plan rapproché de deux, de profil, côté Jean-Pierre

Marc et Jean-Pierre sont en auto. Marc conduit.

Marc	Comme ça, t'as pas fait ta photo à matin. Aie vraiment! Tu fais dur! Cristi!

105. Plan rapproché de deux, de profil, côté Marc

Jean-Pierre	Aie! Écoute pour une photo, c'est pas si grave que ça... J'y ai pensé... on pourrait tricher juste un peu... demain, on va en prendre deux...

106. Plan rapproché de
deux, de profil, côté
Jean-Pierre

Marc Aie, pas question! C'est toi-même qui parlais de concept: «Ça c'est jamais fait! Une photo pendant un an, même coin de rue, même cadrage, même heure»... Aie, un concept, ça se triche pas!

Jean-Pierre C'est justement ce petit accroc-là qui va donner de l'ampleur à l'idée. Si c'est trop parfait, pas intéressant... penses-y deux secondes...

107. Plan rapproché de
deux, de profil, côté
Marc

Marc De toute façon, on a pas le choix...

108. Plan rapproché de
deux, de profil, côté
Jean-Pierre

Jean-Pierre Sers-toi de ça dans ton écriture... Invente quelque chose, j'sais pas moi, écris que...

Le son des voix s'estompe.

La voiture s'arrête. Marc, impatient, klaxonne. L'auto démarre...

Zoom out
Début musique 29:04

et laisse voir le coin de rue des photos: un homme, grimpé sur un échafaudage, repeint la corniche du snack-bar; une nouvelle enseigne «Restaurant chez Pietro» orne la devanture; dans la vitrine, une pancarte «vendu» cache celle «à vendre»; près de l'arrêt on a installé une poubelle et un banc sur lequel un vieil homme vient s'asseoir.

Fin musique 29:17

(29:17) SCÈNE 33

Intérieur, soir. Chez la jeune femme du coin, dans la chambre à coucher.

109. Plan taille

Jean-Pierre est couché sur le dos. Une jeune femme, dont on ne voit pas le visage, est assise sur lui. Ils font l'amour.

Jean-Pierre	Ma belle belle amour... Ma belle belle amie d'amour... ma toute douce... j't'aime... j'ai le goût de toi... au-dedans de toi, au milieu, au mouillé de toi... je t'aime partout, partout... un enfant avec toi... dans ton ventre d'amour, mon amour...
	En se relevant pour la prendre dans ses bras, on peut reconnaître la jeune femme du coin de rue.
110. Plan rapproché	Il la renverse et l'embrasse avidement.

(30:19) SCÈNE 34

Extérieur, jour. Devant un collège.

111. Plan-séquence, plan large	Marc arrive, des pancartes de grève sous le bras. Il monte les marches de l'escalier désert, dépose ses pancartes près de lui, s'assoit et attend.

(30:41) SCÈNE 35

Intérieur, soir. Chez Jean-Pierre, dans la cuisine.

112. Plan genou	Jean-Pierre tente de faire un peu d'ordre dans la cuisine sens dessus dessous: vaisselle sale accumulée dans l'évier, chaudrons croûtés, etc.
113. Plan rapproché	Laurent s'avance dans l'embrasure de la porte de la cuisine.
Laurent	J'ai faim, papa!
114. Plan américain	Jean-Pierre se retourne,
Recadrage	s'accroupit face à Laurent qui vient le rejoindre.
Jean-Pierre	Moi aussi j'ai faim! Ça sera pas long! Qu'est-ce que tu veux manger, mon affamé? Veux-tu une bonne omelette?
Laurent	Je veux du spaghetti.
Jean-Pierre	Ok mon ami, on va t'en faire du spaghetti.

56

Il le chatouille,

Recadrage   se relève et se retourne vers l'évier pour remplir une casserole d'eau, puis se dirige vers le poêle. Laurent le regarde faire amusé.

115. Plan rapproché   Jean-Pierre dépose la casserole sur le poêle. On entend la sonnerie du téléphone.

116. Plan taille   En amorce on voit Jean-Pierre se diriger vers le téléphone. Laurent reste seul près du poêle.

117. Plan taille   Jean-Pierre décroche le récepteur du téléphone mural. Laurent arrive en trombe, tout excité. Tout au long de la conversation de Jean-Pierre, Laurent s'accroche à lui, tire le fil du téléphone et l'interrompt fréquemment.

Jean-Pierre   Oui allô!
Laurent   *Papa, j'ai faim!*

Ah c'est toi... Non, j'le sais, j'ai pas eu l'temps.
Papa, j'ai faim!

Ben oui, j'le sais. Excuse-moi.
J'ai faim... papa.

Laurent, attends une minute. Laurent...
Papa!

Écoute Julie, j'peux pas t'parler maintenant... J'ai Laurent, y'est fatigué. Y'é tard pis on a pas encore soupé...
J'veux parler à Julie.

Attends une minute Laurent.
Papa, j'veux parler à Julie.

Coudon as-tu soupé toi...
Papa, j'veux parler à Julie.

Laurent, attends une minute.
Papa j'veux parler à Julie

Allô! Julie! T'as-tu soupé toi?
Papa... papa...

Attends une seconde-là. Bon ben écoute, prends un taxi, je te le paie, le souper va être prêt quand tu vas arriver, ok?
J'ai faim!

Laurent attends une minute!
J'veux parler à Julie, moi.

Julie... j'ai le goût de toi, moi!
J'veux parler à Julie, moi.

Ok à tantôt...
C'est à mon tour, j'veux parler à Julie.

Jean-Pierre J't'embrasse, ok, bye (...) Je te le passe (...) Tiens, parles-y.

Jean-Pierre lui tend le récepteur et sort du cadrage.

Recadrage
118. Plan taille

Laurent saisit le récepteur et s'adosse au mur pour enfin parler à Julie.

Laurent Allô Julie! (..) J't'allé à la piscine, j'ai couru pis j'm'ai fait très mal (...) sur mon bras ici (...) Viens-tu manger du spaghetti avec nous (...) Bye bye (...) Bye bye (...) J'ai le goût de toi, moi!

Il se retourne et s'étire pour raccrocher.

119. Plan rapproché Jean-Pierre ouvre une porte d'armoire et saisit un paquet de spaghetti. Le paquet est pour ainsi dire vide, il le replace dans l'armoire et referme la porte.

(32:26) SCÈNE 36

Intérieur, soir. Dans un petit restaurant italien.

120. Plan large Jean-Pierre, Julie et Laurent sont attablés dans un petit restaurant. Le silence semble installé, solide.

121. Plan taille Jean-Pierre s'allume une cigarette pendant que Laurent mange ses spaghettis.

Laurent Fume pas, papa!

122. Plan rapproché Julie, l'air impatient, boit une gorgée de vin et lance un regard irrité à Jean-Pierre.

Jean-Pierre (hors-champ) Tu veux pas que j'fume à table?

Laurent (hors-champ) Non, j'ai pas fini de manger.

Jean-Pierre (hors-champ) C'tu bon mon fripon?

123. Plan taille Jean-Pierre éteint sa cigarette puis s'amuse à faire rire Laurent.

Laurent (en riant) Ouiiii....

Jean-Pierre Ben, mange ton spaghetti!

124. Plan rapproché Se sentant exclue, Julie regarde tristement la scène.

125. Plan rapproché Jean-Pierre jette un regard vers Julie.

126. Plan rapproché	Laurent continue à manger avec appétit.

(33:06) SCÈNE 37 a)   Intérieur, soir. Chez Jean-Pierre, dans la chambre à coucher de Laurent.

127. Plan rapproché	Jean-Pierre et Laurent sont assis sur le lit. Jean-Pierre aide son fils à mettre son pyjama.
Jean-Pierre	Ok, mets ton pyjama mon grand... Rentre la tête là-dedans. On va faire un beau dodo, hein.
Laurent	Veux-tu me raconter une histoire?
Jean-Pierre	Tu veux que je te raconte une histoire. Ok couche-toi...
	Laurent se glisse sous les couverture.
Recadrage	Jean-Pierre le borde.
Jean-Pierre	Bon... Il était une fois un gros gros gros sapin qui était tout seul dans une forêt. Pis là, un moment donné...
Début musique 33:26	

(33:26) SCÈNE 37 b)   Intérieur, soir. Chez Jean-Pierre, dans la cuisine.

128. Plan taille	L'air triste, Julie joue distraitement avec un pinceau et un pot de peinture jaune de Laurent.

(33:31) SCÈNE 37 c)   Intérieur, soir. Chez Jean-Pierre, dans la chambre à coucher de Laurent.

129. Plan américain   Jean-Pierre dort tout habillé à côté de Laurent. Julie s'approche et tente de le réveiller doucement.

Julie   Jean-Pierre? Jean-Pierre?

Julie éteint la lampe de chevet et quitte la chambre.

(33:59) SCÈNE 37 d)   Intérieur, soir. Chez Jean-Pierre, dans la cuisine.

130. Plan rapproché   Julie est accroupie devant le téléviseur, elle se lève. On aperçoit sur l'écran, écrit à la peinture jaune:

J'avais le goût de toi MOI!

Fin musique 34:04

(34:04) SCÈNE 38   Intérieur, jour. Chez Marc, dans la chambre à coucher.

131. Plan-séquence, plan américain   Marc décroche des vêtements de la garde-robe et les dépose sur le lit. De la pile, il reprend une robe de chambre féminine et la replace. Il hésite un instant, la saisit à nouveau, la regarde l'air nostalgique, vient pour la déposer sur le lit, la reprend à nouveau, en hume profondément l'odeur puis, finalement, décidé, la replace dans la garde-robe.

Il ramasse ensuite la pile de vêtements empilés sur le lit

Travelling arrière de la chambre au corridor   et vient la déposer parmi les boîtes entassées dans le corridor. Jetant un regard vers le salon,

Panoramique à gauche et travelling avant Début musique 34:52. Chanson «Suzanne» en sourdine

il aperçoit Pauline, de dos, immobile, un casque d'écoute sur les oreilles.

Marc s'approche d'elle. Elle se retourne. Elle pleure. Il la regarde un instant. Doucement, elle lui place les écouteurs sur la tête:

Pauline   Écoute ça...

Marc, ému dès les premières mesures, s'assoit sur le divan

Panoramique à gauche et écoute cette chanson souvenir. Pauline s'assoit près de lui. Avec fougue, ils se caressent, ils s'embrassent.

(36:32) SCÈNE 39

Extérieur, tombée du jour. Sur l'estacade.

132. Plan-séquence, plan large. Musique passe de sourdine à premier plan Fin musique 37:00

Dans un brouillard épais, on voit Marc courir sur l'estacade. Il s'approche lentement.

(37:00) SCÈNE 40

Extérieur, jour. Devant le collège.

133. Plan-séquence, plan large, travelling arrière et de bas en haut

Un attroupement devant l'entrée principale. Marc s'engueule avec un collègue. Les deux hommes se bousculent puis s'empoignent violemment.

62

Un collègue	Écoute-moi ben toi, hein... Tu rentres pas si tu veux mais tu nous crisses patience ok!
Marc	Vous êtes juste une gang de chieux!... Gang de moutons!
Un 2ᵉ collègue	Ça va faire!

Les autres professeurs finissent par les séparer. Le petit groupe entre dans le collège.

Marc	C'est ça, rentrez, rentrez. Allez vous asseoir sur votre cul!

Marc reste seul. Il tient toujours sa pancarte. Un autre professeur arrive et lui dit de laisser tomber. Marc lui fait un signe avec le majeur et lui tourne le dos.

(37:33) SCÈNE 41 **Intérieur, jour. Dans le collège.**

Plan 134. Plan-séquence, plan taille Violemment, Marc défonce la vitre de la porte du local de son syndicat avec sa pancarte de grève.

Travelling arrière Puis, d'un pas décidé et l'air mauvais, se dirige, à travers les corridors du collège, jusqu'à son bureau.

Une collègue le regarde entrer sans dire un mot. Marc s'avance jusqu'à sa table de travail, vide ses tiroirs en les refermant bruyamment, ramasse ses livres, dossiers et effets personnels qu'il jette dans la poubelle juste à côté. Il la saisit et quitte la salle en claquant la porte. On le voit s'éloigner dans le corridor.

(38:30) SCÈNE 42   **Extérieur, jour. Chez la jeune femme du coin, sur le balcon.**

135. Plan large   Jean-Pierre est sur le balcon et attend. La jeune femme sort de la maison et l'aide à transporter son matériel photo. Ils s'éloignent amoureusement.

(38:47) SCÈNE 43   **Extérieur, matin. De l'autre côté du coin de rue.**

136. Plan pied   Pendant que la jeune femme regarde à travers le viseur de l'appareil-photo, Jean-Pierre l'embrasse coquinement dans le cou. Voyant l'autobus arriver, Jean-Pierre avertit la jeune femme.

Jean-Pierre   Merde, ton autobus!

La jeune femme l'embrasse rapidement, lui dit au revoir et s'en va.

(39:00) SCÈNE 44   Extérieur, jour. Le coin de rue.

137. Idem plan 1   Se dirigeant vers l'arrêt d'autobus, la jeune femme traverse la rue en courant.

«Clic». L'image fige et devient photo noir et blanc.

(39:06) SCÈNE 45   Extérieur, jour. De l'autre coté du coin de rue.

138. Plan taille   Jean-Pierre, à côté de son trépied, prend une cigarette tout en fredonnant.

Fondu enchaîné
139. Idem plan 138   Quelques instants plus tard, toujours près de son appareil-photo, Jean-Pierre attend.

Fondu enchaîné
140. Idem plan 138   Jean-Pierre guette ce qui se passe de l'autre côté de la rue. On entend la sonnerie de la porte du snack-bar, rapidement il prend un cliché puis amorce à nouveau son appareil-photo.

Fondu enchaîné
141. Idem plan 138   De nouveau, Jean-Pierre attend, appuyé nonchalamment sur son trépied. Il porte maintenant des verres fumés.

Fondu enchaîné
142. Idem plan 138   Attentif à ce qui se passe de l'autre côté — on entend des chiens japper — Jean-Pierre prend un cliché.

«Clic». Photo noir et blanc.

143. Idem plan 1   Un homme retient difficilement un gros chien au bout d'une laisse. Devant lui, une femme et ses deux petits chiens apeurés.

144. Idem plan 138   Pendant qu'on entend les chiens japper, Jean-

Pierre amorce à nouveau son appareil-photo. Il réfléchit un instant puis marmonne pour lui-même:

Jean-Pierre Ça fait une pour lundi... j'en ai une autre pour mardi, celle-là pour aujourd'hui... ça veut dire que ça m'en prend une autre pour demain.

(39:50) SCÈNE 46 **Intérieur, jour. Chez Jean-Pierre, dans la chambre noire.**

145. Gros plan Dans le bassin de révélateur, on reconnaît la photo de la scène précédente (celle des chiens).

146. Plan américain, panoramique à gauche Jean-Pierre la retire et la dépose dans un deuxième bassin. Il se retourne et place un papier photographique sous l'agrandisseur. On entend la sonnerie de la porte. Jean-Pierre hésite un instant puis replace le papier dans son enveloppe. La sonnerie retentit à nouveau. Jean-Pierre se dirige vers la porte de la chambre noire.

147. Plan large Dans la chambre, il regarde discrètement, entre les lamelles du store de la fenêtre, puis il quitte la pièce.

66

148. Plan rapproché	De retour dans la chambre noire, il met la minuterie en fonction, appuie sur le déclencheur de l'agrandisseur, retire le papier du margeur
Panoramique à droite	et le plonge dans le bassin de révélateur. On entend maintenant quelqu'un — son propriétaire — qui l'appelle:
Le propriétaire **(hors-champ)**	Monsieur Dumont?
149. Plan taille	Jean-Pierre s'approche de la porte et, l'air fâché, croise les bras. On entend frapper à la porte.
Le propriétaire **(hors-champ)**	Monsieur Dumont? Monsieur Dumont? Monsieur Dumont? Êtes-vous là?
Jean-Pierre	Qu'est-ce que vous faites dans ma maison?
Le propriétaire **(hors-champ)**	J'ai à vous parler, pouvez-vous sortir?
Jean-Pierre	Non, je peux pas! Qu'est-ce que vous voulez?
Le propriétaire **(hors-champ)**	Écoutez monsieur Dumont...
Jean-Pierre	Je peux pas sortir, j'suis en train de développer mes photos.
Le propriétaire **(hors-champ)**	Écoutez-moi ben là, j'suis tanné de me faire niaiser!... Votre dernier chèque a encore rebondi à la banque...
Lent travelling se terminant en gros plan de Jean-Pierre	...si vous m'payez pas tout de suite vos loyers en retard, j'vais faire saisir vos affaires! M'avez-vous compris?
Jean-Pierre	Crisse, pensez-vous que j'ai ça dans mes poches, moi, quinze cents piastres!... Écoutez... donnez-moi un break. Pouvez-vous attendre jusqu'à demain matin... Demain matin, à dix heures et quart sans faute, vous allez avoir quinze cent piastres cash, ok?

Le propriétaire (hors-champ)	À dix heures et quart, sinon je fais venir un huissier, c'est-tu clair!
Jean-Pierre	Oui oui... Oui oui... Oui oui, j'ai saisi!

(41:45) SCÈNE 47 Extérieur, nuit. Devant chez Jean-Pierre.

150. Plan rapproché

Il pleut à verse. Jean-Pierre, essoufflé et complètement trempé, s'engouffre dans sa voiture.

Jean-Pierre Bon... Une bonne affaire de faite!

151. Plan rapproché, demi-profil, contrechamp Marc

Marc Hé! J'ai pensé à ça Jean-Pierre, tu devrais garder ton matelas sur le toit.

152. Plan rapproché Jean-Pierre, demi-profil

Jean-Pierre Comment ça?

Marc T'aurais pas besoin de faire réparer tes essuie-glace!

153. Plan large

Sous la pluie abondante, la voiture est à moitié montée sur le trottoir. La remorque attachée derrière est surchargée. Sur le toit de la voiture, sous une toile de plastique, s'empilent des matelas.

Marc (hors-champ) C'est clair hein? Je t'héberge deux semaines, trois semaines, pas plus.

La voiture, écrasée sous le poids, démarre lentement et s'éloigne.

Jean-Pierre (hors-champ) Oui oui, j'vais m'arranger avec Julie. De toute façon, ça va te faire du bien d'avoir du monde dans ton grand logement!

(42:19) SCÈNE 48   Intérieur, matin. Chez Marc, dans le salon.

154. Plan genou   Jean-Pierre dort paisiblement sur le divan-lit. Le salon est littéralement envahi par le ménage de Jean-Pierre. Marc se penche sur lui et le réveille doucement.

155. Plan rapproché

Marc   Jean-Pierre! Jean-Pierre! Huit heures moins quart! Ta photo!...

156. Plan taille   Jean-Pierre, surpris, se réveille brusquement.

Jean-Pierre   Fuck! J'ai passé tout drette, moi!

157. Plan genou   Marc, dans l'embrasure de la porte:

Marc   Y'a du café de prêt.

Il quitte la pièce.

158. Plan pied   Jean-Pierre s'assoit sur le bord du lit et commence à s'habiller péniblement, s'arrête un instant et regarde, l'air découragé, tout ce qui s'empile autour de lui.

(43:02) SCÈNE 49   Extérieur, jour. Le coin de rue.

«Clic». Photo noir et blanc.

159. Idem plan 1   Le coin de rue est désert. Au bas de la vitrine du snack-bar, on peut lire le graffiti suivant:

TO BE OR NOT TO BE
TO BE DOU BE DOU BE DOU

(43:07) SCÈNE 50   Intérieur, jour. Chez Marc, dans la salle de travail.

160. Plan pied   Marc termine l'installation d'un ordinateur et de ses composantes. Il allume l'appareil et y insère une disquette. Il s'assoit devant l'écran qu'il regarde satisfait...

Marc   Un vent fou s'est levé. Il m'envahit et me donne
(voix intérieure)   une envie folle de m'envoyer en l'air....

Fondu enchaîné

(43:36) SCÈNE 51   Intérieur, nuit. Chez Marc, dans la salle de travail.

161. Plan-séquence, plan rapproché

Marc (hors-champ)   ... Pourquoi pas?

Travelling arrière
Début musique 43:56   Marc, devant l'écran qui l'éclaire faiblement, s'amuse à l'aide d'une fonction de traitement de texte à réécrire «Pourquoi pas».

Fin du travelling, plan taille
Fin musique 43:55

(43:55) SCÈNE 52   Extérieur, jour. De l'autre côté du coin de rue.

162. Plan genou   Jean-Pierre regarde dans le viseur de son appareil-photo, il amorce le déclencheur à retardement,

163. Idem plan 1   traverse la rue en courant et va embrasser la jeune femme.

«Clic». L'image fige et devient photo noir et blanc.

Elle, on peut la reconnaître facilement, mais pas Jean-Pierre qui se trouve derrière elle; on ne voit que ses bras qui l'enlacent.

Marc (hors-champ)   Un grand silence vient de balayer le coin de rue. Il n'y a plus d'air, une trahison a contaminé l'espace. J'ai le cœur en hiver, je ne sais plus que faire de mes feuilles. Je les échangerais toutes pour son petit mouchoir.

(44:26) SCÈNE 53   Extérieur, jour. Sur l'estacade.

Début musique 44:28
164. Plan-séquence, plan   Au loin, on reconnaît Marc qui court sur
très large, plongée   l'estacade.
Fin musique 44:33

(44:36) SCÈNE 54   Extérieur, jour. Rue achalandée du centre-ville.

165. Plan genou   Sur une rue commerciale — un homme — l'air enragé, recule sa voiture. Il crie:

71

L'homme Hé! Le smat!...

166. Plan taille Jean-Pierre, s'appuyant sur le cadre de la portière ouverte, pousse péniblement sa voiture. À son tour, il crie:

Jean-Pierre Tu vois ben que mon char est en panne, hostie de «tuit»...

167. Plan large ...J'peux quand même pas le mettre dans mes poches, sacrament!

Jean-Pierre continue de pousser sa voiture sans s'occuper de l'autre qui continue à reculer la sienne. Les deux voitures se cognent.

168. Plan taille En colère, l'homme — un colosse — sort de sa voiture,

L'homme Sacrament...
(entre ses dents)

169. Plan genou vient rejoindre Jean-Pierre et lui arrache ses verres fumés.

Jean-Pierre Ok tu viens m'aider, sti!... Pousse mon char,
(furieusement) m'a allez tenir ton klaxon, correct!

L'homme T'es pas mal baveux pour ta grosseur, toi!

Jean-Pierre Imagine ce que ça serait si j'étais gros comme toi!

L'homme Ah oui!

Insulté, l'homme tente de coincer brusquement Jean-Pierre derrière sa portière. Jean-Pierre s'esquive et grimpe peureusement sur le toit de sa voiture

170. Plan genou, légère plongée

L'homme   Envoye donc, p'tit câlisse! Toé, tu recules ton bazou!

Une voiture patrouille arrive à ce moment; deux policiers en sortent rapidement et s'avancent vers eux.

Jean-Pierre   Ote-toi de là tabarnac... Touche-moi pas! R'garde... R'garde... T'as l'air fin... T'as l'air fin là, hostie...

171. Plan pied

Les deux policiers séparent les deux hommes qui continuent à s'engueuler.

Le policier   Qu'est-ce qui se passe ici?

L'homme   C'est un hostie d'baveux! Il me rentre dedans avec son bazou...

Jean-Pierre   Ah oui!... Tu voyais ben que j'm'en allais là, hostie!

L'homme   Tabarnac!

172. Plan rapproché Jean-Pierre et un policier

Un des policiers entraîne l'homme vers sa voiture.

Jean-Pierre   Ma transmission m'a lâché, monsieur l'agent... J'tasse mon char tranquillement pis y m'saute dessus!

73

Le policier	Pouvez-vous sortir et fermer votre porte s.v.p. Permis de conduire, enregistrements?...

Ellipse de temps.

173. Plan très large	Les deux hommes, Jean-Pierre et le colosse, accotés chacun sur sa voiture, attendent le retour des policiers, en se lançant des regards provocateurs.

Ellipse de temps.

174. Plan rapproché	Un policier s'adresse à Jean-Pierre:
Le policier	Voulez-vous qu'on fasse venir un towing?
Jean-Pierre (menteur)	Non non. C'est correct... j'ai déjà appelé. Y s'en viennent.
Le policier	Ok, tout est en règle.
Jean-Pierre	Merci.

Le policier lui remet ses papiers.

175. Plan rapproché	Jean-Pierre vide le coffre arrière de sa voiture; il jette pêle-mêle dans un sac de plastique, vêtements, espadrilles, toutou, coffre à outils, hache, etc.
176. Plan rapproché	Il dévisse sa plaque d'immatriculation.
Début musique 46:19 *177. Plan rapproché*	Il s'éloigne, à pied, avec ses affaires.

(46:37) Scène 55   **Extérieur, jour. Belvédère surplombant la ville.**

178. Plan taille de profil	Jean-Pierre, cigarette au bec, semble songeur. Derrière lui, la ville. On peut apercevoir, au loin, l'affaissement d'une immense cheminée.

(46:53) SCÈNE 56   **Extérieur, fin d'après-midi. À la garderie.**

179. Plan-séquence, plan genou

Marc arrive derrière une clôture grillagée. Il tente d'en ouvrir la porte mais elle est cadenassée. L'air découragé, il grimpe, saute par-dessus la clôture puis s'avance, dans la cour de la garderie, vers Laurent qui tourne en rond en tricycle.

Travelling latéral et panoramique à droite

Fin musique 47:14

Marc s'accroupit.

Travelling vertical de haut en bas

Laurent tourne autour de lui.

Marc   Allô! Laurent! Comment ça va? T'as ben un beau bicycle!

Laurent   C'est pas un bicycle.

Marc   C'est quoi?

Laurent   Un tricycle!... Où il est mon papa?

Marc   Il va venir nous rejoindre tantôt... Aimes-tu ça te promener en métro?

De loin, on voit arriver la monitrice. Elle s'approche d'eux.

Laurent   Mais où elle est ton auto?

75

Marc	Ben justement, je l'ai prêtée à ton papa...
Marc	Bonjour madame!

*Travelling vertical de
bas en haut*

La monitrice	Est-ce que je peux vous aider?
Marc	J'm'en viens chercher Laurent...
La monitrice	Mais je vous connais pas! Laurent, est-ce que tu le connais le monsieur?
Marc	Écoutez... C'est son père, Jean-Pierre, qui m'a demandé de venir le chercher...
La monitrice	Bon on va essayer de le rejoindre par téléphone...
Marc	Vous pourrez pas, je sais même pas où il est...
La monitrice	Eh bien, on va essayer de rejoindre la mère. Est-ce que vous la connaissez?
Marc	Oui oui, je la connais mais...

Ils se dirigent vers la garderie en continuant de s'expliquer.

(48:04) SCÈNE 57   **Intérieur, fin d'après-midi. Dans un wagon de métro.**

180. Plan-séquence, plan genou

Le wagon est bondé, c'est l'heure de pointe. Laurent, assis sur les genoux de Marc, somnole. Près d'eux, un homme tient, avec précaution, un bonzaï. Marc sort un calepin et un crayon de sa poche, et griffonne quelques mots.

(48:40) SCÈNE 58   **Intérieur, soir. Chez Marc, dans la salle de bains.**

181. Plan-séquence, plan américain

Laurent est dans un bain rempli de mousse. Il y plonge la main, cherche un instant et finalement sort Marc de l'eau en le tirant par les cheveux.

Marc	Merci! Merci, capitaine! Vous m'avez sauvé la vie! J'étais en train de me noyer. Merci beaucoup! Ouf! Grâce à vous, j'peux survivre...

Les deux rient aux éclats.

(49:21) SCÈNE 59

Intérieur, nuit. Chez Marc, dans le salon.

182. Plan-séquence, plan taille

Laurent est couché sur le divan-lit. Marc est assis près de lui et commence à lui raconter une histoire.

Marc	Il était une fois un coin de rue...
Laurent	Quoi???
Marc	Euh! Il était une fois un petit garçon...
Marc (hors-champ)	J'avais peur pour mon écorce. Je craignais à tout instant...

(49:33) SCÈNE 60

Extérieur, jour. Le coin de rue.

«Clic». Photo noir et blanc.

183. Idem plan 1

Un petit garçon est suspendu par les mains à une branche de l'arbre.

Marc (hors-champ)	...de le voir arriver avec un canif pour graver un cœur et le nom de sa blonde au milieu. Le voilà pendu à mon cou. Il me ramène aux réalités simples de la pesanteur, du temps qui passe et du vent qui souffle. Pour un peu, en fermant les yeux, je pourrais sentir monter en moi la paix d'un jardin japonais...

(49:51) SCÈNE 61

Intérieur, jour. Dans un restaurant.

184. Plan genou

Jean-Pierre et Julie sont dans une salle à

manger. L'atmosphère est tendue. Jean-Pierre regarde par le viseur de son appareil-photo, cadre les plats à photographier et appuie sur le déclencheur faisant jaillir l'éclat des flashs. Julie, qui lui tournait le dos, se retourne à cet instant et remplace plats et bouteille de vin.

Jean-Pierre semble agacé par la froideur de Julie:

Jean-Pierre   Coudon! Qu'est-ce que t'as à matin? Es-tu menstruée?

185. Plan taille   Elle se retourne vivement et s'approche de lui.

Julie (sèche)   Monsieur Gagnon essaie de te rejoindre depuis deux jours, le savais-tu?

186. Plan taille,
contrechamp Jean-Pierre

Jean-Pierre   Qu'est-ce qu'il veut encore lui?

187. Plan taille

Julie   Où t'étais? Ah, laisse faire, dis rien, t'es trop menteur!

188. Plan taille,
contrechamp Jean-Pierre

Jean-Pierre   Comment ça, je suis trop menteur? J'ai rien à cacher! Qu'est-ce que tu veux savoir? Où c'est que j'étais les deux derniers jours? C'est ça?

189. Plan taille

Julie   Ça... ça m'intéresse pas! De toute façon, c'est pas moi qui ai essayé de te rejoindre, c'est Gagnon!

190. Plan taille,
contrechamp Jean-Pierre,
panoramique à droite

Jean-Pierre se déplace vers un réflecteur qu'il ajuste.

Jean-Pierre   Je m'en crisse-tu, moi, de Gagnon! Petit boss à marde!

191. Plan taille

Julie   Tu fais bien de t'en crisser, parce que figure-toi qu'il sera plus notre boss!

Jean-Pierre
(hors-champ)   Y s'en va?

Julie   Non, c'est pas lui qui s'en va, c'est nous autres!

192. Plan taille,
contrechamp Jean-Pierre

Jean-Pierre   Bon, qu'est-ce que j'ai fait encore?

193. Plan taille Jean-
Pierre et Julie

Julie   Toute l'équipe s'est plainte là-bas! Y'ont dit qu'ils ne peuvent pas se fier sur toi, t'arrives jamais dans les délais, ils sont obligés de «rusher» à cause de toi, t'apportes pas ce qu'ils te demandent... et bien ils se sont tannés, c'est tout, c'est pas compliqué! C'est ça qu'il voulait te dire Gagnon! Pis c'est à moi qu'il l'a dit! Comme si c'était de ma faute à moi!...

Léger travelling à droite   ...Moi aussi je perds ma job... à cause de toi!

Décidé et blessé, Jean-Pierre referme le viseur de son appareil-photo et va éteindre le réflecteur.

194. Plan rapproché

Jean-Pierre   Gang de tabarnac!...
(sarcastique)

195. Plan rapproché   Julie, très irritée, le regarde sévèrement.

196. Plan rapproché,
contrechamp Jean-Pierre

Jean-Pierre   ...Tant mieux, je suis bien content. J'commen-
çais à en avoir plein le cul, moi, de cette petite
gang de prétentieux-là! Depuis le temps qu'ils
me font chier! J'aurais dû les crisser là, ça fait
un maudit bout de temps! Envoye, ramasse tes
affaires, on s'en va!

197. Plan rapproché

Julie   Non! Je ramasserai pas mes affaires pis toi non
plus! Si t'as pas besoin d'une autre job après,
moi j'en ai besoin! On va finir le contrat, après
ça, tu feras ce que tu veux comme tu veux! Moi,
j'ai peut-être trouvé autre chose!

198. Plan rapproché,
contrechamp Jean-Pierre

Jean-Pierre   Où ça?

199. Plan rapproché

Julie   Aux Éditions Marcotte à Québec...

200. Plan rapproché,
contrechamp Jean-Pierre

Jean-Pierre   À Québec?

201. Plan rapproché

Julie   C'est Robert Nadeau qui est rendu directeur
artistique, il m'a proposé quelque chose.

202. Plan rapproché,
contrechamp Jean-Pierre

Jean-Pierre   Quel genre de propositions?

203. Plan rapproché

Julie   T'es vraiment dégueulasse hein! Tu te fiches
complètement que je perde ma job à cause de toi
pis tu m'insultes parce que j'ai...

204. Plan large	Le chef cuisinier, arrivant avec un plat, interrompt Jean-Pierre et Julie dans leur discussion.
205. Plan rapproché	Jean-Pierre, troublé et ému, cache mal son malaise.

(52:31) SCÈNE 62   Intérieur, nuit. Dans une chambre à coucher.

206. Plan large	On distingue à peine, sous les couvertures, les formes de Jean-Pierre et sa compagne dormant enlacés.

Jean-Pierre
(dans son sommeil)   Ma belle belle amour... J't'aime ma toute douce. J't'aime ma belle amie d'amour... J't'aime... Au milieu... au-dedans...

La jeune femme se réveille

207. Plan taille Jean-Pierre et sa compagne	et allume la lampe de chevet. La jeune femme — qu'on n'a jamais vue — regarde Jean-Pierre, étonnée, intriguée. Elle se retourne, éteint la lumière et s'endort en lui tournant le dos pendant que
Recadrage sur Jean-Pierre	Jean-Pierre continue de marmonner:

Jean-Pierre   Un enfant de toi... dans ton ventre d'amour... mon amour... Un enfant de toi mon amour...

(53:10) SCÈNE 63 a)   Intérieur, soir. Chez Pauline.

208. Plan-séquence, plan américain	À l'aide d'un bâton rallonge, Marc peinture, au rouleau, un plafond. Du système interphone, on entend une sonnerie.

Pauline
(hors-champ)   J'y vais...

Pauline s'avance jusqu'à l'interphone, appuie sur un bouton et répond:

Pauline	Oui!
Le livreur (hors-champ, par l'interphone)	La pizza!
Pauline	Entrez!

(53:35) SCÈNE 63 b) **Intérieur, soir. Chez Pauline, dans la cuisine.**

209. Plan-séquence, plan américain

Marc, les yeux fermés, est assis à une petite table, au centre de laquelle il y a, à côté d'un restant de pizza, un bouquet de fleurs dans un vase de fortune. Pauline est debout derrière Marc et lui masse le cou.

Marc	Le vois-tu souvent?

Pauline s'arrête.

Pauline	Marc!
Marc	J'voulais juste savoir!

Panoramique à gauche Pauline va s'asseoir face à Marc.

Pauline	Oui, oui, je le vois souvent...
Marc	Es-tu... amoureuse de lui?
Pauline	Non.
Marc	Non?
Pauline	Non, j'suis pas amoureuse.
Marc	Si au moins t'étais amoureuse, je comprendrais...
Pauline	... pourquoi je ne veux pas faire l'amour avec toi?

Marc   Non. Je comprendrais pourquoi t'es partie!

Long silence.

Pauline   Je t'ai quitté Marc, parce que je ne suis plus en amour avec toi.

Pauline se lève, ramasse les assiettes et

Travelling à gauche   se rend dans la cuisinette.

Plan rapproché

Marc   C'est pas moi que tu quittes, c'est toi que tu
(dépité)   fuis!

(55:03) SCÈNE 63 c)   Extérieur, nuit. Rue.

210. Plan-séquence, plan genou   Marc donne un grand coup de pied dans une poubelle qu'il renverse avec fracas. Il s'en va puis revient sur ses pas, et remet dans la poubelle ce qu'il avait répandu par terre.

Travelling vertical de bas en haut
Début musique 55:26   Il se redresse,

Travelling latéral   fait quelques pas puis se met à courir.

(55:43) SCÈNE 64 a)   Extérieur, nuit. Sur une petite route de campagne.

211. Plan large   Une voiture s'éloigne dans la nuit.

(56:08) SCÈNE 64 b)   Extérieur, nuit. Devant un chalet.

212. Plan large   Le petit chalet rustique est à quelques pieds d'un lac. Tout est calme. Pas d'autre lumière dans ce décor sinon celle qui brille faiblement dans les
Fin musique 56:16   fenêtres du chalet.

(56:13) SCÈNE 64 c)   Intérieur, soir. Dans le chalet.

213. Plan américain   Au milieu d'une petite cuisine, Marc et Jean-Pierre sont à table assis face à face. Un fanal au gaz, suspendu au-dessus d'eux, les éclaire faiblement. Jean-Pierre allume une cigarette; la fumée se répand jusqu'à Marc qui n'a pas encore terminé son assiette. Marc dévisage Jean-Pierre avec un air de colère.

Marc   Tu pourrais attendre que j'aie terminé de manger!

Jean-Pierre   Je t'ai demandé, tu m'as pas répondu!

Marc   Aie! C'est pas dur à voir que j'ai pas fini, il me semble...

Jean-Pierre   T'as pris une bouchée y'a dix minutes. Tu digères-tu à mesure?

Marc   Tu fais vraiment exprès pour te crisser de moi, toi!

Jean-Pierre   Je me crisse de toi, moi?

Marc   Oui, tu te crisses de moi!

Jean-Pierre   Excuse-moi, mon vieux!

214. Plan taille
Marc   Pis tu te crisses de toute! Tu m'épuises, cristi! T'es un flan mou qui se grouille pas le cul!... Regarde-toi aller! Faut que je te réveille à tous les matins pour aller prendre ta photo, sans parler de celle qui manque. Je t'héberge, je te déménage, je prends soin de ton p'tit, je te prête de l'argent...

215. Plan taille,
contrechamp Jean-Pierre

Jean-Pierre   Pogne pas les nerfs!... M'as te le remettre ton argent!

216. Plan rapproché

Marc   La question est pas là... On peut pas se fier sur toi... Tu finis jamais c'que tu commences. Comment tu marches, cristi? Ça me rentre pas dans la tête, moi! Si t'avais pas le goût de le faire ce projet-là, t'avais juste à le dire avant! Respecte tes engagements! T'es en train de faire fucker mon projet!

217. Plan rapproché, contrechamp Jean-Pierre

Jean-Pierre TON projet?

218. Plan rapproché

Marc Oui, MON projet! J'ai travaillé là-dessus dix fois plus que toé pis y'a fallu que je te pousse dans l'cul tout le temps sinon t'aurais rien fait! Veux-tu que j'te dise... T'es un crisse d'irresponsable!

219. Plan américain, changement d'axe, plan opposé au plan 213

Un long silence s'installe, pesant. Finalement, Jean-Pierre éteint sa cigarette dans son assiette.

Jean-Pierre Tu devrais te fâcher plus souvent, ça t'ferait du bien.

220. Plan taille

Ça en ferait moins gros à cracher que juste d'un coup! Dans l'fond, t'as raison... Ton ostie de projet, je m'en crisse, tu peux te le fourrer où tu penses! Oublie pas que c'est moé qui a eu c't'idée-là, hein! C'était mon idée ça! Pis dis-toi aussi que si ça me tente plus, c'est à cause de toi...

221. Plan taille, contrechamp Marc

Marc, incrédule, sourit ironiquement.

222. Plan taille

...Oui... à cause de toi! Tu me fais tellement chier quand je t'entends débiter exactement tout ce qu'il faut faire selon les dernières analyses syndico-fémino-socio-écologiques...

223. Plan taille, contrechamp Marc

Marc se retourne vivement

...T'es tout mielleux avec Pauline...

224. Plan rapproché	...dans l'fond t'as l'goût d'la tuer parce qu'elle t'a crissé là. T'es tellement fin, t'es tellement compréhensif... Si moi j't'un crisse d'irresponsable, toi t'es un hostie d'hypocrite... Tu lâches ta job par conviction? Mon cul! Ouvre-toé les yeux crisse! T'es juste un hostie de p'tit prof frustré qui se prend pour Jean-Paul Sartre! Finis-le ton hostie de roman, attends pas après personne!...
225. Plan taille, contrechamp Marc	Marc, troublé, reste impassible.
226. Plan rapproché Jean-Pierre	...Je vais aller fumer dehors, je voudrais surtout pas que tu pognes le cancer à cause de moi!

Jean-Pierre se lève de table. |
| *227. Plan taille, contrechamp Marc* | On entend Jean-Pierre sortir. Marc, l'air défait, se verse une rasade de vin qu'il avale goulûment. |

(60:07) SCÈNE 64 d)   Extérieur, nuit. Sur le quai près du chalet.

228. Plan pied	Jean-Pierre est assis au bout du quai. Il fume.

Au loin, on voit Marc sortir du chalet. Il s'approche, s'avance sur le quai. De dos, on le voit défaire sa braguette et se mettre à pisser. |
| **Jean-Pierre** | Tu vas polluer le lac.

Marc ne répond pas. Il vient rejoindre Jean-Pierre |
| *Recadrage* | et s'assoit à côté de lui. Sans un mot, il lui prend sa cigarette, en tire une bouffée et la lui remet. Ils restent là, côte à côte, immobile dans le silence. |

86

229. Plan large	De dos, de loin, Marc et Jean-Pierre sont dans la même position, toujours en silence.
Jean-Pierre	Comment ça va avec Pauline?...
Marc	Comment ça va avec Julie?...
Jean-Pierre	On est-tu ben pas de filles, hein!

(62:20) SCÈNE 65 — Intérieur, très tôt le matin. Dans le chalet.

230. Plan pied — Il fait petit jour. On entend un bip-bip. Marc se réveille et arrête la sonnerie de sa montre. Jean-Pierre se lève péniblement et s'habille. Il ramasse son équipement photo et sort de la chambre. En passant devant celle de Marc, celui-ci lui lance son trousseau de clefs. Jean-Pierre s'en va, Marc s'assoit sur le bord de son lit.

(63:12) SCÈNE 66 a) — Extérieur, jour. Sur une petite route de campagne.

231. Plan large
Début musique 63:12 — Sur une petite route de campagne, une voiture s'avance, laissant derrière elle un nuage de poussière. La voiture s'arrête sur le bord de la
Fin musique 63:39 — route.

(63:42) SCÈNE 66 b)   Extérieur, jour. Sur la petite route.

232. Plan très large   Le soleil est bien haut. Au loin, on voit la voiture sur le bord de la route.

(63:47) SCÈNE 66 c)   Extérieur, jour. Sur le petite route.

233. Plan taille   Jean-Pierre dort dans la voiture.
Début musique 63:47

(63:55) SCÈNE 67   Intérieur, soir. Chez Marc.

234. Plan-séquence, gros plan   Marc la tête en bas, les yeux fermés, les bras ballants, fait de l'inversion.

Marc (hors-champ)   Voilà des semaines qu'elle n'est pas venue. Hier, un oiseau est venu se percher sur une de mes branches, je l'ai chassé, je n'en ai éprouvé
Début fondu enchaîné   aucun regret...

(64:10) SCÈNE 68   Extérieur, jour. Sur l'estacade.

235. Plan-séquence, plan très large, fondu enchaîné de Marc, faisant de l'inversion, à Marc joggant   De très loin, on voit Marc avancer en courant.

Marc (hors-champ)   ...il piaillait. Cela m'énervait, c'est tout.

Fin musique 64:25

(64:25) SCÈNE 69   Extérieur, jour. Sur le coin de rue.

236. Idem plan 1   La jeune femme sort du petit restaurant et regarde de l'autre côté de la rue en s'avançant sur le trottoir.

237. Plan taille, *contrechamp Jean-Pierre*	Tout souriant, Jean-Pierre quitte le viseur de son appareil-photo.
238. Plan large	La jeune femme traverse la rue.
239. Plan taille	Jean-Pierre l'accueille gaiement:
Jean-Pierre	Allô! Qu'est-ce que tu fais là. Y passe dix heures. Tu travailles pas aujourd'hui?
240. Plan rapproché des deux	
La jeune femme	Je t'attendais...
Jean-Pierre	Qu'est-ce qui se passe?
	Derrière eux, on voit s'approcher une camionnette de vitriers.
La jeune femme	Il se passe... que je suis enceinte...
241. Idem plan 1	Par le reflet d'un grand miroir sur la camionnette, on voit l'image de Jean-Pierre et de la jeune femme. Sans le vouloir, Jean-Pierre appuie sur le déclencheur de son appareil-photo.
	«Clic». L'image fige et devient photo noir et blanc.

(64:56) SCÈNE 70   Extérieur, nuit. Rue.

Jean-Pierre, avec Laurent endormi dans ses bras, marche sur la rue et entre dans une cabine téléphonique.

242. Plan très large, plongée   **Julie**

(hors-champ, voix sur répondeur)

«Et oui, c'est un répondeur! Mais soyez sûr que nous vous retournerons votre appel le plus tôt possible. Alors laissez-nous un message. À bientôt. Bonne journée.»

243. Plan large, changement d'axe

Jean-Pierre   Allô Julie... c'est moi... euh... je voulais te dire que j'ai reçu une lettre de Gagnon pour toi...

244. Plan américain   j'aurais l'goût de monter à Québec, aller te le porter... pis te voir... euh... bon...

245. Plan rapproché, changement d'axe   ...c'est ça... Ah oui! J'voulais te dire aussi que je suis toujours à la recherche d'une maison de campagne. J'ai peut-être trouvé quelque chose dans le bout de Trois-Rivières, ça serait parfait. Ça serait à mi-chemin entre Montréal pis Québec, en tout cas... bon... ben... j'espère que tu... Fuck!...

Jean-Pierre raccroche brusquement le récepteur.

(65:48) SCÈNE 71   Intérieur, nuit. Chez Marc, dans la salle de travail.

246. Plan-séquence, plan taille

Très lent travelling avant   Marc est impassible devant son ordinateur. Le téléphone sonne, il ne bronche pas. Après la deuxième sonnerie, son répondeur automatique se déclenche:

Pauline
(hors-champ,
voix sur répondeur)   «Bonjour, vous êtes bien chez Marc et Pauline mais on est pas là pour l'instant. Laissez votre message et on vous rappelle le plus tôt possible. Alors bonne journée!»

Jean-Pierre
(hors-champ)   Salut, c'est moé. J'pensais que tu serais là. C'est juste pour te dire que j'me suis trouvé un appartement au 548 Beaubien, appartement 1512. J'vais aller chercher mes affaires bientôt... euh... Ben c'est ça, salut!

Marc arrête le répondeur, fait reculer la bande, puis écoute à nouveau le message en notant l'adresse que Jean-Pierre vient de laisser.

Jean-Pierre
(hors-champ)   ...que j'me suis trouvé un appartement au 548 Beaubien, appartement 1512. J'vais aller chercher mes affaires bientôt... euh... Ben c'est ça, salut!

(66:41) SCÈNE 72 a)   **Extérieur, le matin. Dans la boutique de l'autre côté du coin de rue.**

247. Plan pied   Jean-Pierre et Laurent sont dans une boutique de réparation électronique. Derrière l'établi, devant la vitrine, Jean-Pierre semble surveiller ce qui se passe de l'autre côté de la rue. Laurent, lui, l'agace avec une vieille antenne de télévision.

Jean-Pierre   Laurent arrête ça... Arrête ça là... Bon donne-moi ça, c't'affaire là... Donne-moi ça...

248. Plan taille, changement d'axe	À travers la vitrine, on peut voir, de l'autre côté, la jeune femme qui attend l'autobus. Jean-Pierre l'observe secrètement pendant que Laurent, espiègle, jette par terre les menus objets devant lui.
	Jean-Pierre, excédé, empoigne fermement Laurent par le bras et le secoue.
Jean-Pierre	Laurent, touche pas à ça... Laurent, touche pas à ça... Laisse ça là...
249. Gros plan	Jean-Pierre relève la tête et continue d'épier la jeune femme.
250. Plan large	À travers la vitrine, on voit arriver un autobus.
251. Gros plan	Jean-Pierre continue de fixer le coin de rue.
252. Plan large	L'autobus s'en va, laissant le coin désert.
253. Plan pied, travelling latéral	Tirant Laurent par le bras, Jean-Pierre traverse la boutique,
Jean-Pierre	Viens-t-en ici...
	et s'avance vers la porte.

Extérieur, jour. De l'autre côté du coin de rue.

254. Plan pied Traînant toujours Laurent par le bras, Jean-Pierre sort de la boutique

Laurent Tu m'fais mal!

et vient s'installer sur le coin pour prendre sa photo.

Jean-Pierre Reste tranquille ok... Reste ici, pis arrête de
(impatient) niaiser, ok...
Laurent T'es pas fin!

Il amorce son appareil-photo et fait le foyer. Laurent, malin, s'amuse à tirer la courroie de l'appareil-photo. Jean-Pierre, irrité, réprimande encore une fois Laurent.

Jean-Pierre J'trouve pus ça drôle pantoute!

Jean-Pierre regarde à nouveau dans le viseur de son appareil. Laurent tend la main vers la courroie.

255. Idem plan 1 Mal cadré et complètement hors foyer, on voit sortir le patron du snack-bar.

Photo noir et blanc.

Le patron Hé! Ça fait trois semaines que j'te nourris... quand est-ce que tu vas me payer ça?

Jean-Pierre Laurent, sacrament, c't'assez!
(hors-champ)

256. Plan genou, ralenti Jean-Pierre, exaspéré, frappe violemment son fils en plein visage.

Début musique 67:48 Son geste, son cri lui ont échappé. Il se penche vers son enfant qui pleure, s'accroupit et le serre contre lui.

Recadrage
257. Plan rapproché Les yeux pleins de larmes, Jean-Pierre console son fils en le caressant.

| Jean-Pierre (voix hors-champ) | Excuse-moi... Excuse-moi... J'm'excuse... |

Fin musique 68:28

(68:29) SCÈNE 73 a) — Extérieur, jour. Au jardin zoologique.

Début musique 68:29
258. Plan très large

Jean-Pierre et Laurent se promènent lentement main dans la main.

| Laurent | Pourquoi on va pas à la garderie... |
| Jean-Pierre | Aujourd'hui, mon ange, on va passer toute la journée ensemble, ok... |

(68:54) SCÈNE 73 b)

259. Plan genou

Laurent est assis sur un banc de parc. Il mange un cornet en regardant son père qui lui lace son soulier.

(69:02) SCÈNE 73 c)

260. Plan large

Jean-Pierre et Laurent observent le manège des ours polaires dans une grande cage.

(69:11) SCÈNE 73 d)

261. Plan pied

Amusé, Laurent donne de la nourriture à un daim qui vient manger dans sa main. Jean-Pierre, attentif, le regarde.

(69:23) SCÈNE 73 e)

262. Plan large

Lui expliquant comment faire un nœud et une boucle, Jean-Pierre noue le lacet défait de Laurent. Derrière eux, des gnous en cage.

(69:36) SCÈNE 73 f)

*263. Plan large,
panoramique à droite*

De loin, on voit arriver Jean-Pierre et Laurent faisant un tour d'éléphant.

*Panoramique à gauche,
gros plan
Fin musique 70:05*

Laurent se retourne vers son père et l'embrasse affectueusement.

(70:06) SCÈNE 73 g)

264. Plan pied

Assis côte à côte sur un banc, Jean-Pierre et Laurent se reposent quelques instants. L'air apaisé, Jean-Pierre observe son fils, puis il saisit son appareil-photo, se lève et s'éloigne. Laurent le regarde aller.

265. Plan rapproché	Faisant la mise au point, Jean-Pierre s'apprête à prendre une photo. Il regarde un moment dans le viseur comme s'il attendait l'instant privilégié pour appuyer sur le déclencheur. Il se ravise, abaisse son appareil et regarde son fils.
266. Plan rapproché, contrechamp Laurent	Laurent, heureux, mange des chips.
267. Plan rapproché	S'apprêtant à nouveau à prendre une photo, Jean-Pierre s'arrête dans son geste et, l'air triste, regarde attentivement son enfant.
268. Plan rapproché, contrechamp Laurent	Laurent lui fait une drôle de mimique pour l'amuser.
269. Plan rapproché	Attendri, Jean-Pierre lui fait un large sourire et
270. Plan américain	vient le rejoindre sur le banc.
271. Plan américain	Il dépose l'appareil-photo près de lui, fait une caresse à son enfant, ramasse son sac, se lève, prend Laurent par la main et s'en va.

L'appareil-photo reste oublié sur le banc.

(70:17) SCÈNE 74   **Extérieur, nuit. Dans un taxi.**

272. Gros plan	Jean-Pierre est assis dans un taxi qui roule lentement, il a l'air abattu. La voiture s'arrête, la plafonnier s'allume, Jean-Pierre sort de sa torpeur. Il regarde avec tendresse son fils endormi, la tête sur ses genoux.

Jean-Pierre   On est arrivé, mon bébé...

273. Plan taille	Laurent se réveille et s'assoit.

Laurent   J'suis pas un bébé, j'suis grand garçon!

Jean-Pierre   J'comprends que t'es un grand garçon... T'es capable de faire des boucles pis des nœuds astheure hein!..

96

Jean-Pierre ramasse les souliers de Laurent:

Jean-Pierre   Ok aide-moi, on va remettre tes souliers pis on va les attacher... Moi le droit, toi le gauche.

Laurent   Non, moi le droit, toi le gauche!

Jean-Pierre   Parfait!

274. Plan large   De loin, on voit le taxi stationné sur une rue tranquille.

Jean-Pierre (hors-champ)   Ok regarde! On prend les deux bouts de lacets comme ça... pis là, on les croise... C'est ça, tu l'as bien... c'est ça, croise... là on en passe un en-dessous et pis là on...

Laurent (hors-champ)   On tire un peu!

Jean-Pierre (hors-champ)   Tire un peu! c'est ça!... Pis là, tu tiens la petite boucle comme ça...

Laurent (hors-champ)   Comme ça?

Jean-Pierre (hors-champ)   C'est ça!... Tu la tiens dans tes deux p'tits doigts... c'est ça... tiens-la bien... c'est beau... ok et pis là on passe la p'tite corde par-dessus, hein... pis après ça, où est-ce qu'on la passe?

Laurent (hors-champ)   Dans le p'tit trou!

Jean-Pierre (hors-champ)   Dans le p'tit trou... c'est ça, ici... Et puis là, on tire dessus, on fait une autre boucle de l'autre côté... et puis après ça, qu'est-ce qu'on fait?

Laurent (hors-champ)   On l'égorge!

Jean-Pierre (hors-champ)   Voilà, c'est ça tu l'tiens bien!...

Laurent (hors-champ)   C'est fini?

Jean-Pierre **(hors-champ)**	C'est ça.
Laurent **(hors-champ)**	J't'aime papa.
Jean-Pierre **(hors-champ)**	Je reviens dans deux minutes, monsieur.... Viens-t-en.
	Jean-Pierre sort du taxi et prend Laurent dans ses bras.
275. Plan large, *changement d'axe*	Jean-Pierre se dirige vers une maison, monte les marches, sonne et attend quelques instants. On vient lui répondre. Il remet Laurent à sa mère, échange quelques mots, la porte se referme.

(73:21) SCÈNE 75

Intérieur, nuit. Chez Marc, dans la salle de travail.

276. Plan large	Dans le logement, toutes lumières éteintes.
	Jean-Pierre traverse le corridor et s'avance dans le bureau de travail de Marc. Il allume la lampe, dépose une enveloppe sur la table, trouve un crayon et du papier,
277. Plan rapproché, *changement d'axe*	et commence à écrire un message. Il remarque, sur la table, la photo-miroir de la jeune femme (scène 69).
278. Plan rapproché	Marc, endormi, arrive dans la pièce sans faire de bruit. Il porte cette robe de chambre de Pauline qu'il avait gardée (scène 38).
Marc	Qu'est-ce que tu fais là?
279. Plan rapproché	Jean-Pierre se retourne vivement. Il a l'air hagard.

98

Jean-Pierre	Oh excuse-moi! Je voulais pas te réveiller... J't'apporte les photos de la semaine, y'a celle d'à matin aussi. Je te dérange-tu? T'es pas tout seul?

280. Plan rapproché,
contrechamp Marc

Marc	Oui, oui. J'suis tout seul... pis tu me réveilles...

281. Plan rapproché

Jean-Pierre	Excuse-moi, je m'en vais. Y'a l'argent aussi que je te devais, dans l'enveloppe.

Jean-Pierre quitte la pièce.

Panoramique à droite.
On suit Jean-Pierre puis
on s'arrête sur Marc:
travelling avant, plan
rapproché Marc.

Marc	Hé! Dis-donc, la photo avec le miroir? C'est-tu encore une de tes mises en scène?

Panoramique à droite,
plan rapproché Jean-
Pierre

Jean-Pierre	Qu'est-ce que ça changerait?

Panoramique à gauche
Marc

Marc	Ça change que je la trouve pas très drôle... Imagine-toi donc que tu t'intègres plutôt mal dans mon roman... avec la fille...

Panoramique à droite
Jean-Pierre

...T'aurais pu m'en parler!...

Jean-Pierre	Tu voulais pas savoir ce qui se passait sur le coin de rue.

Panoramique à gauche
Marc

Marc	Je te parle pas du coin de rue, je te parle de nous autres... Je suis déçu... oui... très déçu.

Panoramique à droite
Jean-Pierre

Jean-Pierre   T'es pas déçu, t'es jaloux!

Jean-Pierre quitte la pièce et s'en va

Panoramique à gauche   Marc reste là, défait.
Marc
Début musique 75:34

(75:41) Scène 76

Intérieur, nuit. Dans le nouvel appartement de Jean-Pierre.

282. Plan taille, profil   On voit Jean-Pierre debout, appuyé à la fenêtre. La vue qui surplombe la ville est impression-nante. Au loin, éclatent des feux d'artifices que Jean-Pierre ne voit pas.

Fin musique 76:04

(76:04) SCÈNE 77

Extérieur, jour. Sur le pont Jacques-Cartier.

283. Plan très large,   Une masse de marathoniens déferle sur le pont
plongée   Jacques-Cartier.

(76:10) SCÈNE 78

Extérieur, jour. Dans les rues de Montréal.

284. Plan-séquence, plan   Marc court le marathon. Il est tout trempé et
américain   semble épuisé. On le voit parmi les coureurs.

Travelling arrière   On le suit un moment.

Plan rapproché   Son attention est attirée par quelque chose, Marc s'arrête, l'air étonné.

Travelling arrière	Il s'avance vers le trottoir et s'accroupit.
Travelling circulaire	Il est bouleversé par ce qu'il voit.
Travelling arrière	Il se relève. Il est face au coin de rue des photos; l'arbre a été abattu, le tronc est encore étendu sur le trottoir. Il vient pour reprendre sa course, hésite, fait quelques pas puis s'arrête à nouveau.
Travalling arrière, plan pied	Il vire de bord et se met à courir à toute vitesse à contresens des marathoniens. Il quitte le parcours et bifurque sur une rue transversale. Il court, à en perdre le souffle. Il court. Il court. Jusqu'à l'autre coin de rue où, victime d'une crampe douloureuse dans un mollet, il s'immobilise quelques instants.
Travelling avant	Il reprend sa course en boitillant, jusqu'à un bloc à appartements, entre dans l'édifice, se dirige vers l'ascenceur et s'y engouffre.
Plan rapproché	Le visage crispé par la douleur et l'anxiété, Marc essaie de reprendre son souffle. L'ascenseur s'immobilise enfin.
Travelling avant	Il se précipite dans le corridor jusqu'à une porte qu'il ouvre avec fracas. Il entre dans l'appartement, en fait rapidement le tour, jetant un regard dans toutes les pièces

Travelling arrière	puis il revient sur ses pas et s'arrête net.
Plan rapproché	Il s'effondre complètement atterré.
285. Plan large	Le corps de Jean-Pierre, pendu, se balance doucement dans le cadre de la porte donnant sur le balcon. Par terre, il y a cette horloge du snack-bar: elle marque huit heures.
286. Gros plan des pieds de Jean-Pierre *Début musique 80:08*	Le lacet de son soulier est défait.

(80:12) SCÈNE 79

Extérieur, jour. Le coin de rue.

Marc, se tient immobile à cet endroit où Jean-Pierre installait son appareil-photo. Il attend.

287. Plan-séquence, plan large

La jeune femme arrive et va se placer à l'arrêt d'autobus.

Travelling avant, panoramique à gauche pour arriver au même cadrage que plan 1

L'arbre a disparu, une pelle mécanique est en train d'arracher les racines.

Marc traverse la rue. Il s'approche de la jeune femme et commence à lui parler.

Un autobus s'arrête sur le coin, cachant ainsi Marc et la jeune femme. Le chauffeur actionne ses feux clignotants et descend de l'autobus.

Marc (hors-champ) Pour les passants, ce ne fut qu'un incident banal, un arbre de moins. Il sera remplacé par un autre, tout petit, maigrelet, avec un tuteur. Sous le trottoir, des racines encore vivantes égratignent le béton.

L'image devient noir et blanc sauf pour le clignotant de l'autobus.

Début générique 81:51
Fin musique 84:25
Fin générique 84:25

François Bouvier
Danielle Charlebois

GÉNÉRIQUE DE LA FIN

Marc	Jean Beaudry
Jean-Pierre	Denis Bouchard
Laurent	Laurent Faubert-Bouvier
Julie	Violaine Forest
Pauline	Louise Richer
La femme du coin de rue	Nathalie Coupal

Avec la participation de:

L'homme au bonsaï	Gabriel Arcand
L'automobiliste furieux	André Melançon

Par ordre d'apparition:

La contrevenante	Odette Caron
Le préposé au stationnement	Alain Gendreau
L'étudiant, Robert	Robert Boivin
Le patron du snack-bar	Julien Poulin
La mère du patron	Anna-Maria Giannotti
Voix de l'animateur radio	Dominic Frégault
Le chef cuisinier 1	André Thérien
Le collègue furieux	Pierre Powers
Voix des commentateurs de hockey	Claude Chapleau
	Pierre Gingras
Voix de l'astrologue	Anne-Marie Chalifoux
Voix du propriétaire furieux et le chef cuisinier 2	Jean Mathieu
Le policier	Pierre Legris
La monitrice à la garderie	Marie-Élaine Berthiaume
La femme dans le lit	Carole Chatel
La mère de Laurent	Danièle Faubert

Casting	Marquise Lepage
Scénario	Jean Beaudry
	François Bouvier
D'après une idée originale de	François Bouvier
Consultant à la scénarisation	Michel Tremblay
Réalisateurs	Jean Beaudry
	François Bouvier

Mise en scène	François Bouvier
Directeur de production et de post-production	Claude Cartier
ÉQUIPE TECHNIQUE	S.T.C.V.Q.
1er assistant à la réalisation	Carle Delaroche-Vernet
2e assistante à la réalisation	Marquise Lepage
Directeur de la photographie	Alain Dupras
Cadreurs	Alain Dupras
	Éric Cayla
Assistant à la caméra	Pierre Pelletier
Apprentie à la caméra	Esther Valiquette
Opérateurs de steadycam	Alain Dupras
	Steve Campanelli (Going Steadi)
Prises de vues supplémentaires	Éric Cayla
Prise de son	Claude Beaugrand
	Esther Auger
Perchistes	Esther Auger
	Catherine Van Der Donckt
Directrice artistique	Karine Lepp
Assistée de	Claude Laflamme
	Jean-Luc Dequoy
Costumière	Gaétanne Lévesque
Maquilleuses	Kathryn Casault
	Lucille Demers
Chef électricien	Pierre Provost
Électriciens	Marc Charlebois
	Denis Ménard
Chef machiniste	Philippe Palu
Machiniste	Christian Bénard
Effets spéciaux	L'Intrigue
Régisseure	Catherine Thabourin
Assistants de production	Andrée Bouvier
	Jean-Paul Rémillieux
	Edmond Delorimier

106

Monteur image	Jean Beaudry
Assisté de	Suzanne Bouilly
Consultants au montage	Yves Chaput
	André Corriveau
Conception sonore	Claude Beaugrand
Montage sonore	Claude Beaugrand
	Suzanne Bouilly
Assistante au montage sonore	Francine Poirier
Bruiteur	Jérôme Décarie
Assisté de	Monique Vézina
Prise de son	Jocelyn Caron
Post-synchronisation:	
Superviseure	Diane Boucher
Stagiaire	Annie Jean
Prise de son	André Turcot
Recallage	Mathieu Roy-Décarie
Détection	Normand Bélanger

Ont également participé au tournage de la scène du marathon:

Directeur artistique	Claude Poirier
Photographe de plateau	Pierre Dury
Chef électricien	Éloi Deraspe
Électricien	Patrice Houx
Assistants de production	André Dupuy
	Ann Langis

Musique originale	Michel Rivard
	Éditions Sauvages
Arrangements	Michel Rivard
Assisté de	Luc Boivin
	Marie-Christine Trottier

107

Claviers et guitares	Michel Rivard
Basse	Mario Légaré
Flûtes	Marie-Christine Trottier
Percussions	Luc Boivin
Prise de son et mixage	Paul Pagé
Assisté de	Pierre Nantel
Studio	La Majeure

«Suzanne»
Paroles et musique de Leonard Cohen
Editions Continental Total Media Project
Avec la permission de CBS Products inc.

«Fiore Bella D'Italia»
Alain J. Leroux
Editions Kanda Music

«Concerto en sol majeur pour deux mandolines,
cordes et basse continue»
Antonio Vivaldi
Ensemble instrumental de Grenoble
Editions U.M.I.P.

«The Force»
Steve Malone
Editions Forzando / Tele Music

Consultation pour la musique de fond sonore: Intermède Plus

Mixeur	Michel Descombes
Assisté de	Luc Boudrias
Étalonneur	Michel Brohez
Montage négatif	Gerda Gerke
	Hildegarde Schaefer

Laboratoire, studio de post-synchronisation, de mixage et de bruitage	Sonolab
Synchronisation des rushes	Les Entreprises montage final
Équipement caméra	Caméras René Daigle
Équipement électrique	Moli-flex

Effets spéciaux (photos)	Animabec
Optiques	Sonolab Optique
Titres	Ciné-Titres

REMERCIEMENTS

Bernardo Espinoza et Eduardo Espinoza,
Françoise Tessier, Luc Sauvé, Guy Bouchard, Pierre Massé,

Francine Richard, Kevin O'Leary, Diane Fournier, Claude Mentasti,
Martine Bordeleau, Marcella Léporé, Anita Bensabat, Robert Lapierre,
Rafael Reyes, Jean-Pierre St-Louis, François Vincelette,
Marie-Josée Lafontaine, Michel Bertrand,
Stéphane De Ernsted, Jean-Maurice De Ernsted,
Georges Taschereau, Michel Dupuy, Alain Rondeau,
Marie-Louise Laurier, Marie-Julie Dallaire, Eric Parenteau, Carole Doucet,
Gilles Légaré, Gilles Champoux, Benoît Melançon, Dominique Leroutier,

Benoît Pilon, Luigi Gallente, Nicolas Delaroche-Vernet,

Claude Prud'homme, Johanne Renault, Yves Girard,
Robert Mackrous, Raynald Lépine, Véronique Dassas,
Eric Michel, France Pilon, Carol Faucher, Lucette Bernier,
Francine Tougas, Carole Fréchette, Normand Fraser,
Jacques Vézina, Serge Bernatchez, Bernadette Jobin,

Carole Gingras, Jean-Pierre Blais, Suzanne Laverdière,

Le Marathon International de Montréal

La Société Zoologique de Granby inc.
Café Modigliani
Le Jardin Botanique de Montréal
Police de la Communauté urbaine de Montréal
Les policiers du Poste 43
Bureau du cinéma de la ville de Montréal
Société de transport de la Communauté urbaine de Montréal

Michel Bureau
A. Lassonde & Fils inc.
Labrador
Le Cache-Pot

Pier I Imports St-Hubert
La maison d'Émilie
Vitrerie Lalongé
Yum Yum
Multi-Vox
Sportspec Vidéo

Tableaux zérozoïstes du peintre zéro zoo,
collection Roxanne Turcotte
Françoise Barraud
Jean Grenier
Galerie Entre-Cadre
Montant Hollywood
Aquazoo

Taillefer, Devine & Bernardin, courtiers d'assurances ltée

Fauteux, Bruno, Bussière, Leewarden c.a.

Distribution nationale	Aska Film Distribution
Ventes à l'étranger	Aska Film International
Comptable de production	Jean Brien
Adjointe aux producteurs	Danielle Charlebois
Producteur associé	Marc Daigle
Producteur	François Bouvier

LES MATINS INFIDÈLES
a été produit par
LES PRODUCTIONS DU LUNDI MATIN
avec la participation financière de
TÉLÉFILM CANADA
de la **SOCIÉTÉ GÉNÉRALE DES INDUSTRIES CULTURELLES -
QUÉBEC,**
des commanditaires de la
SOCIÉTÉ EN COMMANDITE DULUTH I
et la collaboration de la
SOCIÉTÉ RADIO-CANADA

Scène 32-B
Pour le dernier plan de la scène, la caméra n'est plus sur la plate-forme mais roule à côté afin qu'elle puisse rester sur le coin au moment où l'auto (sur la plate-forme) va redémarrer.
Carle fait un signe de la main, François est derrière le caméraman, Alain Dupras. Pierre Pelletier est assis à côté et Christian Bénard, de dos, est en train d'attacher le dolly.

Scène 2
Alain Dupras à la caméra. À sa droite, Pierre Pelletier, son assistant. Assis, Jean Beaudry (Marc) et de dos, Philippe Palu qui se prépare à tirer le dolly: d'un gros plan de la photo sur le babillard à un plan large de la salle de travail de Marc.

Scène 32-B
La voiture et l'équipe caméra sur la plate-forme à ras le sol afin de tourner à l'aise en roulant.

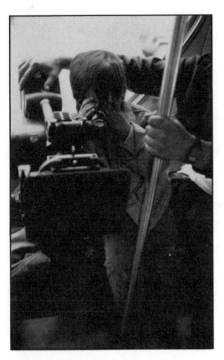

Scène retirée au montage
Permission spéciale à Laurent de regarder dans le viseur de la caméra.

Scène 78
Dernière retouche de maquillage sur Denis Bouchard (Jean-Pierre) faite par Lucille Demers.

Scène 54
Quand il faut se battre contre le soleil ou les nuages. Ici, le soleil, au moyen d'une immense soie qu'on a tendue au-dessus des comédiens. On a par ailleurs un réflecteur étendu par terre qui augmente la lumière venant de dessous.

Scène 70
Alain réfléchit. Il pense aux couleurs, à la lumière. Assise de dos: Françoise Tessier, stagiaire scripte.

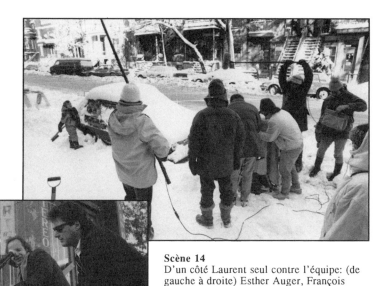

Scène 14
D'un côté Laurent seul contre l'équipe: (de gauche à droite) Esther Auger, François Bouvier, Pierre Pelletier, Alain Dupras, Jean Beaudry et Claude Beaugrand.

Scène 79
Quand Alain Dupras se fait machiniste et pousse le dolly pour montrer à François ce que va donner le travelling.

Scène 78 (Le Marathon)
Jean Beaudry (Marc), Alain Dupras à la Steadycam et Pierre Pelletier qui, à l'oeil, évalue la distance du sujet et fait la mise au foyer au moyen d'une commande à distance.

Scène retirée au montage
"Non, non Laurent, ce n'est pas un jouet. C'est le ruban à mesurer dont se sert Pierre Pelletier pour faire le foyer!"

LES MATINS INFIDÈLES
AU JOUR LE JOUR

17 juillet 1987

Il fait beau et chaud; Montréal grouille de touristes et d'airs de vacances. Aux Productions du lundi matin nous amorçons les préparatifs pour le tournage du film *Les Matins infidèles.* C'est pas trop tôt, on a commencé à écrire le scénario en 1985; deux ans, mois pour mois. Le film s'est appelé *Duluth et Saint-Urbain* (jusqu'après le montage) parce qu'en 1979 François et moi avions fait un projet un peu semblable à celui des deux personnages du film : une photo du même coin de rue, tous les matins, pendant un an et, pour ce projet, notre coin était situé à l'intersection des rues Duluth et Saint-Urbain.

Le film se déroule sur une période de neuf mois et nous avons décidé d'échelonner le tournage sur trois saisons. Nous préférons attendre la vraie neige en décembre, les vrais bourgeons en avril et les vraies feuilles en juin plutôt que de tourner en une seule fois et recourir à des effets spéciaux et autres trucages dans lesquels, il faut bien le dire, nous n'avons pas très confiance. On nous répète que c'est se compliquer la vie: «Vous ne pourrez jamais, d'une fois à l'autre, reconstituer la même équipe technique, vous n'arriverez pas à trouver des comédiens et comédiennes qui puissent être disponibles sur une période de temps aussi longue, etc...» Nous croyons que non seulement c'est possible mais que, de toute façon, c'est mieux pour le film et pour nous. Outre l'importance des saisons, les vraies, pour bien voir et sentir le temps qui passe, ça va nous donner du temps, entre les différents blocs de tournage, pour se réajuster. Avec le peu d'expérience de tournage qu'on a, on se dit que le temps est notre meilleur outil.

Le scénario est prêt depuis février, mais le financement n'est pas encore tout à fait complété et il est déjà trop tard pour envisager le tournage des scènes d'été. On va donc tourner seulement la scène du marathon (l'avant-dernière du film), pendant le vrai Marathon international de Montréal, le 27 septembre, et, tant qu'à y être, la dernière scène également. En ayant la fin du film déjà sur pellicule, nous allons pouvoir poursuivre le tournage l'hiver prochain en suivant, cette fois, la chronologie du récit.

Dix-sept juillet donc, beau temps pour faire du repérage. Nous sommes à la recherche d'un coin de rue. Avec les personnages de Jean-Pierre, joué par Denis Bouchard et de Marc, joué par moi-même, le coin de rue est le troisième personnage principal du film. C'est par lui qu'on fera sentir le temps qui passe, c'est le lien cinématographique entre les deux gars et leurs univers respectifs, c'est finalement le lien symbolique entre la réalité et l'imagination, entre le roman de l'un et les photos de l'autre...

On a déjà écrit quelques pages là-dessus dans le «Traitement cinématographique» où est expliqué le point de départ théorique de notre démarche cinématographique.

Des coins de rue à Montréal, c'est pas ça qui manque. Mais nos critères sont nombreux et sévères: le coin doit être sur le trajet du marathon de Montréal (ça en élimine déjà pas mal!), dans un quartier résidentiel, genre Plateau Mont-Royal. Sur le coin, on veut un snack-bar, genre «Chez Ginette», un arrêt d'autobus (ça peut facilement s'arranger), un arbre (ou un espace pour en planter un) et (ça c'est moins évident) une tour d'habitation à moins d'une minute et demie de course, en amont par rapport au sens du marathon. Nous voulons en effet tourner la scène du marathon en plan-séquence. Nous voulons suivre, sans aucune interruption de caméra, le personnage Marc qui court dans un peloton de marathoniens, s'arrête en apercevant le coin de rue et l'arbre coupé puis revient sur ses pas (à contre-courant des coureurs) pour emprunter ensuite une rue transversale et se rendre, toujours en courant, dans un appartement avec vue sur la ville; le tout en moins de 4 m 20 s, c'est-à-dire la durée totale d'une bobine de 122 mètres (400 pieds) de pellicule 35 mm.

Il serait, bien sûr, beaucoup plus simple de tourner la scène en plusieurs plans et avoir ainsi l'opportunité de trouver un coin de rue à peu près n'importe où et donner, par le montage, l'impression que le personnage court sans arrêt pendant le temps qu'on voudrait pour entrer ensuite dans un building qu'on pourrait choisir n'importe où en ville. C'est une idée de fou de tourner en plan-séquence et c'est casse-cou, mais nous pensons que cette scène, dans le film, ne peut se faire autrement. D'ailleurs, dès le début de la scénarisation, nous précisions dans le fameux «Traitement cinématographique» que les trois personnages, Marc, Jean-Pierre et le coin de rue, seraient filmés chacun selon des paramètres différents: Marc, en plans-séquences, Jean-Pierre, découpé en plusieurs plans courts, et le coin de rue, en plans fixes avec toujours le même cadrage. Tout le film repose sur ces propositions cinématographiques et je crois, comme Alain Tanner, que le contenu est tout entier dans la forme. Pour moi, l'approche filmique est aussi importante que les dialogues ou le choix des acteurs et actrices et je considère la durée d'un plan comme la longueur d'une phrase pour un écrivain.

Claude Cartier, le directeur de production, n'est pas encore tout à fait convaincu:

— Votre idée, ça peut marcher, mais seulement si c'est réussi!

— Ça le sera Claude, j'en suis sûr, il le faut.

— C'est risqué...

— C'est ça qui est beau! Sinon ça n'en vaudrait pas la peine!

Claude nous présente Carle Delaroche-Vernet, premier assistant réalisateur. Il dispose de quelques minutes pour nous rencontrer et vient prendre une copie du scénario. Pour nous, la lecture du scénario et le goût de faire ce film-là sont les premiers critères pour le choix de l'équipe de tournage. L'échange est cordial. Je sens tout de suite qu'il peut être agréable et stimulant de travailler avec lui. Il y a de ces connivences qui se sentent et qui ne mentent pas.

2 septembre

Nous pensions avoir trouvé notre coin de rue, dans l'ouest de la ville au 8e kilomètre du marathon, mais ça ne fonctionne plus. Le local du rez-de-chaussée vient d'être loué et sera aménagé en restaurant «fast food». Ça doit faire huit fois que je refais le trajet du marathon. Je suis avec François. Nous prenons des photos. Mais, ou bien il y a un petit snack-bar comme on cherche mais pas d'édifice à logements à proximité, ou bien il y a de ces édifices mais pas de snack-bar. Nous croyons finalement avoir trouvé ce que nous cherchons sur Saint-Zotique à l'angle de Saint-Vallier. C'est au 27e kilomètre du parcours du marathon. Le snack-bar s'appelle «Le Dome Taxi» (il faudra changer le nom pour le film, mais quand y restera que ça!), et sur la rue voisine plus au sud (rue Beaubien), il y a une résidence de sept ou huit étages pour personnes âgées.

Claude Cartier entreprend les démarches auprès des propriétaires respectifs. C'est le temps pour nous, François, Alain Dupras, directeur photo et caméraman, et moi, de s'asseoir autour d'une table pour lire et étudier le scénario. C'est maintenant que tous ces mots commencent à devenir film. Des teintes, des lumières, des atmosphères commencent à poindre.

Nous tournons des bouts d'essais pour tester la pellicule, vérifier le maquillage, la caméra et le jeu de Laurent (5 ans). Je fais part à François de mes doutes sur le choix de Laurent pour le rôle de l'enfant, non pas à cause de son jeu, mais parce qu'il est son fils.

Je crains que le rapport fils-père ne soit une difficulté et une charge supplémentaire sur ses épaules pendant le tournage. Il me répond qu'il préfère affronter ce qu'il connaît bien plutôt que d'avoir à négocier avec un enfant inconnu. Comme c'est effectivement lui qui aura à le diriger sur le plateau, je respecte sa décision.

11 septembre

Nous faisons des auditions enregistrées sur vidéo (tout pour ne pas dire «screen test» ou «casting») pour le rôle de la Jeune femme du coin de rue. Notre choix s'arrête sans hésitation sur Nathalie Coupal. On s'était pourtant dit qu'il n'était pas question de tomber dans le cliché de la grande blonde au yeux bleus!!! Mais pour un personnage qui symbolisera la Femme, l'Amour, le Fantasme, et qu'on verra toujours, ou presque, en plan très large, il faut en effet quelqu'un qu'on remarque tout de suite, de loin, par la taille, la chevelure, etc. Et puis, surtout, je trouve qu'il y a en Nathalie quelque chose du mystère de notre inconnue.

16 septembre

Nous venons de voir *L'ami de mon amie* d'Éric Rhomer. Alain Dupras vient de partir, il reste Claude Beaugrand, preneur de son et monteur sonore, Claude Cartier, François et moi autour d'une bière. «As-tu entendu les "pofs" de vent dans le micro? C'est incroyable qu'on ne les ait pas évités et qu'on n'ait pas eu recours à la postsynchronisation!» Et Claude Beaugrand de répondre : «Ben oui! Et j'avoue que ça ne dérange pas, ça n'enlève rien à la qualité du film.» Ça fait plaisir à entendre de la part du preneur de son car nous tenons mordicus à ce que le son direct, pris pendant les prises de vue, soit celui qu'on utilisera au mixage. C'est d'ailleurs sur ce parti-pris pour le son direct et le fait que Claude soit aussi monteur que nous lui avons demandé de travailler avec nous.

Gaétanne Lévesque commence à travailler aux costumes. Les personnages prennent des couleurs, adoptent des teintes dominantes: Jean-Pierre, plutôt extraverti et débridé, sera dans des couleurs flamboyantes, des rouges, des jaunes, alors que Marc, plutôt introverti et rigoureux, sera dans des teintes plus sobres, des gris, des bruns, des bleus...

20 septembre

Nous sommes à une semaine du marathon et nous faisons une répétition du plan-séquence. Nous utilisons une caméra vidéo portée avec un équipement Steadycam. Nous voulons vérifier si notre plan est faisable techniquement et efficace dramatiquement : c'est-à-dire pas trop long. Nous ne pouvons malheureusement répéter le plan sur toute sa longueur et il appert que la durée totale risque d'excéder nos 4 m 20 s maximum. Mais la durée dramatique, elle, tient le coup. Il nous faudra donc accélérer le tempo autour de l'arbre et pendant la course vers la rue Beaubien. Nous jugeons donc le test concluant. Je suis soulagé. J'avais beau être convaincu de l'importance de ce plan-séquence, il fallait qu'il soit faisable. C'est le genre de plan qui ne se coupe pas au montage; le début tout seul n'a pas de sens et la fin non plus. C'est un plan comme un pont, il tient par les deux bouts. Et on va le faire sans filet. Il n'est pas prévu de tourner des plans de coupe pour se «couvrir» comme on dit, puisqu'on veut, au montage, un plan-séquence. Une autre difficulté tient au fait que nous n'aurons pas le temps de faire plus de deux ou trois prises pendant le passage du flot des marathoniens. Pour une première journée de tournage, ce sera du sérieux. Autant répéter et s'entraîner. C'est ce qu'on fait: Alain, en portant la Steadycam, fait des longueurs dans le stationnement de Panavision et moi, je cours huit à dix kilomètres tous les deux ou trois jours.

23 septembre

L'arbre de notre coin de rue est un acteur important du film, c'est le personnage central du roman de Marc, même qu'il s'est déjà appelé Jerry dans une des versions du scénario. On avait bien sûr espéré un arbre de dimension respectable, un diamètre d'une quinzaine de centimètres, mais comme il faut le planter et qu'on ne peut en planter un gros, question de budget, surtout qu'il faut le couper pour le marathon et le remplacer après, on s'est contenté d'un plus petit. Une équipe de la ville de Montréal vient de planter notre érable (7 cm de diamètre). Mais une autre équipe de la Ville, celle qui émonde et qui ne sait pas que c'est pour un film a fait son travail : elle a émondé. Notre pauvre petit érable a l'air d'un chicot. Faut le remplacer. Comme cafouillage, c'est réussi!

26 septembre

C'est la veille du marathon, il est 6 h et on répète. On nous a permis de bloquer la circulation sur la moitié de la rue pour quelques heures seulement. Les relations sont d'ailleurs tendues avec le service de police. On y est extrêmement sceptique. On pense que nous demandons peu pour prendre plus pendant le tournage. On a eu, semble-t-il, de mauvaises expériences avec d'autres équipes de tournage. Nous avons donc dû produire un plan détaillé du tournage et Claude Cartier a rencontré le directeur du service des événements spéciaux, à 7 h 30 un certain matin de la semaine dernière. À voir le soin que prend Claude pour faire respecter tous les règlements et consignes qu'on nous impose, je me dis qu'il va non seulement réussir à convaincre les policiers mais que ceux-ci vont sûrement tenter de l'embaucher!!!

14 h 30: dernière réunion avant le tournage dans les locaux des Productions du lundi matin. Alain Dupras, Claude Cartier, Pierre Pelletier (assistant caméraman), Danielle Charlebois (adjointe aux producteurs), Catherine Tabourin (régisseure), Gaétanne Lévesque (costumes), Claude Poirier (directeur artistique), Jean Brien (administrateur), François et moi sommes là, fébriles, à s'assurer que tout est vraiment prêt pour le lendemain. On revoit le plan de tournage. On refait sur papier le mouvement du véhicule sur lequel va monter l'équipe caméra pendant une partie du trajet, on récapitule les déplacements des assistants et assistantes de production qui vont devoir délimiter le couloir réservé au tournage au moyen d'une corde qu'on doit retirer au pas de course quand la caméra revient, etc, etc.

En soirée, en voyant à la télévision des images du marathon de l'année précédente, prises sur le pont Jacques-Cartier, il apparaît que les onze mille marathoniens font vibrer le pont et, donc, l'image. Il faut trouver un autre emplacement pour la deuxième caméra qui doit filmer le départ du marathon. Il est 23 h, on est vendredi soir et François finit par trouver quelqu'un qui lui donne accès au toit d'un édifice situé juste au pied du pont Jacques-Cartier. J'apprendrai tout cela le lendemain seulement. En 1981, j'ai couru un marathon et je sais très bien comment on se sent au 27e kilomètre. Je m'entraîne donc depuis des mois. Mais ce que j'ai mal évalué, c'est le sprint qu'il faut faire du coin de rue jusqu'à l'appartement de la rue Beaubien. Sprinter pendant une minute et demie ne demande pas du tout la même préparation que la course de fond. Bref, j'ai les muscles des cuisses endoloris.

27 septembre, tournage, jour 1

L'équipe a rendez-vous à 7 h 15 au coin des rues Saint-Zotique et Saint-Vallier. Nous avons jusqu'à 10 h pour mettre au point les derniers préparatifs. Je me rends compte que nous n'avons pas encore pu répéter le plan au complet sans interruption. Même en vidéo, nous n'avions fait la scène que par portions sans jamais joindre le tout: du coin de rue jusqu'à l'intérieur de l'appartement. J'ai la trouille et le moins qu'on puisse dire, c'est qu'il y a de la fébrilité dans l'air. On répète donc avec tout l'équipement sauf la pellicule. Mais chaque fois, on se heurte aux portes de l'ascenseur qui ne s'ouvrent pas, ou pas dans un délai suffisamment court. Je n'arrive pas à me faire à l'idée que le plan pourrait ne pas se faire comme prévu. C'en est fait, nous n'avons plus le temps de répéter et je commence à avoir de sérieuses douleurs musculaires. André Dupuis, l'assistant de production qui s'occupe de l'ascenseur, m'assure que tout va bien fonctionner. Sur chacun des étages, devant les portes, il va placer quelqu'un pour s'assurer que personne n'appellera l'ascenseur afin qu'on soit toujours en priorité lorsqu'on arrivera avec la caméra. Il me fait un grand sourire que je lui rends en lui disant combien je compte sur lui.

Autre petit problème, l'appareil qui permet de commander à distance l'ouverture du diaphragme ne fonctionne pas. Or, il faut absolument modifier l'ouverture lorsqu'on passe de l'extérieur à l'intérieur. Je conviens avec Pierre Pelletier d'hésiter un moment en ouvrant la porte de l'immeuble pour lui donner le temps d'atteindre la bague des ouvertures et d'opérer le changement à la main. Nous jouons avec des quarts de seconde et plus que jamais le professionnalisme et l'expérience des techniciens sont précieux.

Il y a une centaine de figurants et figurantes qui se mêlent aux vrais spectateurs et que Guy Bouchard a soigneusement placés où il fallait. Il y en a également d'autres qui courent et qui doivent, après chaque répétition et chaque prise, revenir à leur point de départ.

On ne peut malheureusement enregistrer le son synchro pendant les prises. Claude Beaugrand a tout essayé, mais il ne peut monter sur le véhicule en même temps que la caméra; le poids supplémentaire fait que la plate-forme, aménagée à l'arrière du véhicule et où montent Alain Dupras, Pierre Pelletier et François, touche le sol. Ça commence bien pour le son direct!

10 h 45: ça y est, les «coureurs» en chaises roulantes et ceux de l'élite sont passés, le flot des marathoniens ordinaires s'épaissit, c'est le temps d'y aller. On me bassine partout le corps pour simuler la sueur, il fait froid. «Action!» C'est parti. Tout redevient calme.

C'est-à-dire que tout devient vrai: la course, les marathoniens, les spectateurs. Tout le jeu se fond dans la réalité. Tiens, le coin de rue, l'arbre qui a été coupé, l'intuition de ce qui c'est passé, du drame, l'hésitation puis la certitude qui augmente au même rythme que la course à contre-courant, le grand droit, on laisse le marathon derrière, la vitesse du véhicule qui s'ajuste à la mienne, la crampe (simulée) qui justifie un temps d'arrêt afin de permettre à la caméra de descendre du véhicule, l'idée que peut-être il n'est pas trop tard, l'entrée dans le building et la petite hésitation pour Pierre Pelletier, l'ascenseur qui fonctionne tout de suite, l'urgence et la terrible lenteur de l'ascenseur, le corridor, l'appartement et la vision de ce que Marc anticipait et craignait: la mort, l'absurdité, la culpabilité, la peine, la douleur de l'âme qui s'ajoute à celle du corps.

On enlève la steadycam et ses 75 livres des épaules d'Alain Dupras, il est à bout de souffle. Moi aussi, je me sens épuisé. J'ai juste envie de brailler. François vient me prendre dans ses bras. Sur le coin de départ, les gens de l'équipe sont inquiets et se demandent si c'est réussi. Ils sont prêts à reprendre.

Nous avons finalement le temps de faire deux prises complètes et une troisième qui avorte à dix secondes de la fin et est inutilisable. Un pont qui ne se rend pas sur l'autre rive ne sert à rien! On ne fera même pas développer le négatif. Je flotte entre la douleur et la satisfaction de l'accomplissement en me disant que c'est la concentration d'énergie de toutes les personnes impliquées dans ce tournage qui a permis de le réussir.

L'après-midi est plus relaxe. On tourne la dernière scène du film. Un autre plan-séquence: le personnage Marc va rencontrer la Jeune femme sur le coin de rue, un autobus arrive et s'immobilise devant eux. Toute la pression est tombée. À tel point que de petites erreurs sont commises et qu'il sera convenu, au visionnement des rushes, qu'on reprendra le plan pendant le tournage de l'été, en juin prochain.

28 septembre

Visionnement des rushes à 19 h. Tout le monde, ou presque, y est. Comme il n'y a pas eu de prise de son en synchro, la projection est silencieuse. Et je me souviendrai toute ma vie de Pierre Pelletier qui énumère les mises au foyer qu'il devait effectuer au moyen d'une commande à distance en évaluant, au pif, l'éloignement du sujet. On a l'impression d'assister à la description d'un match sportif: «8 pieds, 6 pieds, 5,5 pieds, 4, 5, 4, 3,5, 4,5...» Ça marche, c'est bon. On a l'air d'une équipe qui vient de gagner la coupe Stanley!

5 novembre

Auditions pour le rôle de Pauline. Parmi les sept comédiennes que nous avons sollicitées, Louise Richer s'impose tout de suite à François et moi. Ses qualités de comédienne sont très convainquantes sans oublier que son apparence, croit-on, s'harmonise bien à la mienne (elle sera la blonde de Marc).

11 novembre

Après une première audition pour le rôle de Julie où nous n'arrivons pas à nous mettre d'accord, nous reprenons l'exercice avec une des deux «finalistes» afin de revérifier, ou infirmer, nos premières impressions. Il appert qu'entre François et moi existe, au-delà des qualités de comédienne, une différence de perception du personnage et de la personne. Nous nous retrouvons exactement au même point que la première fois et ne savons pas très bien comment nous sortir de ce choix difficile. Nous demandons l'avis d'une amie dont le jugement nous inspire confiance et choisissons finalement Violaine Forest. C'est une des rares fois où nous n'arrivons pas tout seul à un compromis qui nous satisfasse!!! J'ai tout à coup un peu peur pour la suite.

Autre belle activité de préparation : la recherche d'une salle de bains (scène 13). Il nous faut quelque chose de spacieux parce qu'Alain Dupras ne veut pas tourner dans une «garde-robe» comme il dit. Je crois que nous ne sommes pas au bout de nos peines car il y a une contradiction entre le genre d'appartement qui puisse convenir au statut économique des personnages et les dimensions d'une salle de bains qui puissent convenir à une équipe de tournage. Par ailleurs, nous ne voulons pas tourner en studio avec un décor aux murs amovibles. Peut-être par manque d'expérience, nous n'arrivons pas, François et moi, à nous défaire de l'idée que le studio sonnera faux.

16 novembre

Nous apprenons que le snack-bar a été vendu. Nous allons alors sur le coin pour rencontrer les nouveaux propriétaires (Bernardo et Éduardo Espinoza) et nous en profitons pour faire quelques photos. Au grand soulagement de Claude Cartier, ils sont très coopératifs et même prêts à recevoir nos suggestions de nom pour leur établissement. Déjà qu'on voudrait que le snack-bar change de nom en cours de film, si le nom nous convient au départ, ce sera ça de moins à trafiquer pour chaque tournage. Le nom «Chez Ginette» est malheureusement intouchable puisque déjà utilisé (le contraire aurait été surprenant!). Finalement, après plusieurs «brainstorming», nous nous rabattons sur «Le Bedon dodu» et pourquoi pas?

Les séances de découpage technique se poursuivent avec Alain Dupras, Carle Delaroche-Vernet, François et moi. Claude Beaugrand n'est pas là et c'est dommage. Nous tenons au son direct et nous voulions lui accorder une attention particulière dès la préparation. Le film commence à prendre forme en fonction des données théoriques que nous avions élaborées lors de la scénarisation. Ces intentions, qui sont d'abord perçues comme des contraintes, deviennent peu à peu des balises et guident nos choix. Au fil des heures passées ensemble nous précisons par de multiples détails comment va se tourner ce film. Je me rappelle cette citation de Bertolucci qu'avait faite un jour Michel Brault: «Malheur à ceux qui tournent sans apporter une vision du monde, sans une notion personnelle sur leur métier, sans être motivés par une violente passion.» C'est autour de notre table de travail que prend corps cette assertion à laquelle je crois fermement. De la première ligne du scénario, en passant par le choix de chacune des personnes qui travailleront sur le film jusqu'au choix du moindre mouvement de caméra et jusqu'à la dernière coupe du montage ou au dernier tirage des copies finales, toutes les décisions doivent selon moi tenir compte de ces paramètres. La passion étant, bien sûr, le grand prérequis à toute l'entreprise.

Les répétitions ont commencé. Sauf quand elles impliquent le personnage Marc, je n'y assiste pas. Je sais très bien l'intimité et la confiance qui doivent s'établir entre acteur ou actrice et metteur en scène. Ça me chipote tout de même de ne pas être là au moment où s'ajustent et se précisent les dialogues et les mouvements des personnages.

3 décembre

Répétition pour Denis, Violaine et Laurent sur les lieux de tournage. Les principaux membres de l'équipe sont présents afin de «voir» ce qu'on va filmer. C'est le temps de vérifier avec Alain Dupras les cadrages et mouvements de caméra qu'on avait prévus autour de la table sur les plans tracés à l'échelle par Karine Lepp (qui remplacera Claude Poirier à la direction artistique). C'est le temps de voir comment on va pouvoir éclairer l'espace avec Pierre Provost (chef électricien). C'est le temps de déterminer comment va se faire la prise de son avec Claude Beaugrand. C'est le temps de décider où va être le vestiaire et la cantine avec Catherine

Thabourin (régisseure). C'est le temps, pour Luc Sauvé qui nous loue son appartement, de se faire une petite idée de l'envahissement qui se prépare.

La journée de travail se termine par une réunion où tout le monde se rencontre pour la première fois. La première fois pour ce film. Car tout le monde se connait et tout le monde a déjà travaillé avec tout le monde, ou presque. C'est l'occasion de parler de cette «notion personnelle sur le métier» dont parle Bertolucci. Ça se traduit ici par le fait d'une petite équipe et le temps qui devra être accordé en priorité à la réalisation. C'est-à-dire que le travail d'acteur et l'émotion seront toujours prioritaires à la technique. Ça se traduit aussi par des journées de travail de huit heures plutôt que onze ou douze comme c'est la coutume sur la plupart des tournages. Cela afin d'avoir le temps de voir les rushes après la journée de travail, d'en discuter et de prévoir des correctifs si cela s'avère nécessaire, le temps de préparer et de réajuster les détails pour la journée suivante, le temps de manger, de se reposer un peu et de dormir. Voilà des détails qui semblent anodins, mais qui font partie intégrante de la facture d'un film.

1er BLOC DE TOURNAGE

7 décembre, tournage, jour 2

Il avait d'abord été prévu (et espéré) de tourner dehors sur le coin de rue, mais faute de neige, nous nous rabattons sur des scènes d'intérieur : l'appartement de Jean-Pierre, chez Luc Sauvé, un sept et demie au troisième étage.

7 h 15: c'est l'envahissement total. Seize personnes, huit valises pour la caméra, presqu'autant pour le matériel d'éclairage, sans compter les projecteurs HMI, l'équipement machinerie (pas de rails ni de dolly, ouf!), les deux ou trois valises pour le son, la table, le miroir et la lampe pour le maquillage, les éléments de décor, les accessoires et, bien sûr, deux glacières portatives et trois caisses de nourriture.

8 h 05: la cantine est installée dans un coin de ce qui était le salon et le café est prêt.

8 h 16: pendant que Denis prend la place de Laurent au maquillage, ce dernier vient s'attabler devant son bol de céréales, vide pour le moment. On s'apprête à tourner la scène suivante: au petit matin, Laurent s'amuse au lieu de déjeuner et est interpellé par son père qui lui dit de se presser. L'enfant commence alors à manger ses céréales (cette scène a été supprimée au montage).

8 h 38: on installe un projecteur sur la galerie pour donner l'effet du soleil au petit matin.

8 h 45: la caméra est sur son trépied et on discute du cadrage. On continue de travailler l'éclairage.

8 h 56: l'équipe du son s'approche et s'installe.

9 h 02: Carle Delaroche-Vernet dit à Laurent de ne pas manger tout de suite ses céréales afin d'avoir encore faim au moment du tournage.

9 h 26: première répétition. Claude Beaugrand débranche le frigo et se met à la recherche d'un bruit mystérieux. On découvre qu'il s'agit d'un des transformateurs de courant utilisé pour un projecteur HMI. On le recouvre de couvertures insonorisantes et on insonorise aussi la caméra avec la capote spécialement conçue à cet effet.

9 h 45: on met du lait dans les céréales de Laurent.

9 h 47: première prise. C'est bon mais François affirme qu'on peut faire mieux.

10 h 03: quatrième prise terminée. C'est bon, le premier plan de la journée est tourné.

10 h 30: première répétition du deuxième plan. Il s'agit du contrechamp du plan précédent, sur Denis. J'observe Pierre Provost qui décolle un bout de ruban adhésif qui a servi à supporter un fil électrique; le soin qu'il y met afin de ne pas abîmer la peinture.

11 h 08: après huit prises, dont deux pour le son seulement, le deuxième et dernier plan est tourné. On se prépare pour la scène 4 où Jean-Pierre, pressé, va chercher Laurent en habit de neige. Il est caché sous les couvertures du lit où est couché Julie.

12 h 00: pause repas. On en profite pour discuter de l'utilisation des magasins à pellicule de 400' plutôt que ceux de 1000'. Plus petit est le magasin, plus souvent on doit le recharger. Cela représente une perte de temps tout à fait inutile. Il est décidé qu'on utilisera dorénavant ceux de 1000' à moins que l'espace ne le permette pas, comme pour les tournages de salles de bains!

14 h 05: première prise du plan 1 de la scène 4. Un arrêt de quinze minutes à cause d'un problème de son: le ruban s'est coincé dans le cabestan. Tout le monde s'arrête. Alain Dupras en profite pour faire quelques petits ajustements d'éclairage. J'entends Pierre Pelletier lui dire à l'oreille: «Si t'as besoin de moi, je suis là».

14 h 55: première répétition pour le plan 2 de la scène 4. Quand François veut dire à Laurent comment s'est déroulée la prise ou la répétition précédente, il en indique la qualité par la distance entre le pouce et l'index. Plus l'espace est mince, plus on approche de la perfection, tant que les doigts ne sont pas collés, il faut recommencer.

15 h 13: la deuxième prise n'est pas satisfaisante, il faut en faire une autre. Treize personnes attendent en silence que Pierre Pelletier ait fini de recharger la caméra.

15 h 32: le plan est tourné.

16 h 40: un plan de la scène 46 vient d'être tourné. On a profité du fait que ce plan se passe dans la même pièce que la scène 4. Il s'agit de celui où Denis sort de la chambre noire pour aller voir à la fenêtre qui a sonné à la porte. La journée de tournage est terminée.

17 h 00: petite réunion pour Claude Cartier, Carle Delaroche-Vernet, François et moi afin de faire le bilan de la journée et revoir la planification de la suivante. Nous apprenons que nous n'avons pas d'enregistrement vidéo de match de hockey pour la scène 29 a) que nous tournons demain. Il semble que ce soit une question d'argent. On pense se rabattre sur un téléjournal. François est furieux. Claude va tâcher de trouver quelque chose.

D'autre part, il est bien évident que Laurent ne trouve pas du tout facile de faire la différence entre jouer au cinéma et jouer dans la vie. Ça lui demande une attention qui n'est pas habituelle et l'interminable travail de répétitions et de recommencements pèse parfois lourd sur sa bonne humeur. Mais après la journée, c'est lui qui nous surprend avec encore plein d'énergie pour s'amuser avec un nouveau jouet. Je sens que pour François cette première journée a été une dure épreuve de patience et de concentration.

8 décembre, tournage, jour 3

Toujours pas de neige, on reste dans l'appartement du personnage Jean-Pierre. Pendant qu'on se prépare à tourner les plans de Laurent endormi dans son lit, scènes 29 b) et d), je regarde avec François la copie vidéo du téléjournal de la veille. On arrête notre choix sur la nouvelle des moules avariées en se disant qu'il y a un lien possible à faire avec la scène de restaurant de fine cuisine (scène 27 a) moyennant quelques retouches au scénario. François insiste tout de même auprès de Claude pour qu'il fasse tout ce qu'il peut afin de trouver du hockey. Le plan où on en a besoin sera tourné après le dîner; il y a encore du temps, donc de l'espoir.

Tout le monde s'arrête, on est prêt à tourner. Silence!... que le bruit des pas de Denis qui monte et descend en courant l'escalier afin d'être réellement essoufflé. La scène précédente dans le scénario (scène 29 c) qui n'est pas encore tournée) nous le montre en effet très pressé.

Problème de bruit de caméra surtout pour les plans plus intimes. Il faut ajouter une couverture insonorisante par-dessus la capote. Alain Dupras n'est pas du tout content de l'idée. S'ensuit une discussion entre Carle Delaroche-Vernet, Alain et Claude Beaugrand. Il paraît que la couverture ne sent pas très bon, qu'il n'est pas très agréable d'avoir le nez dedans et surtout qu'elle rend difficile le travail d'opérateur : «Faut tout de même que j'aie l'œil dans le viseur!», rétorque Alain. Pour ma part, je n'interviens pas, mais je ne peux m'empêcher de me demander comment il se fait que les caméras ne soient pas mieux insonorisées. C'est sûrement le lobby des studios de postsynchronisation!!!

«Ce sera une prise!» lance Carle. J'observe Catherine Thabourin qui ferme le son de son «walkie-talkie», décroche le téléphone et presse le combiné contre elle afin d'étouffer le «Veuillez raccrocher s'il vous plaît». Claude Beaugrand lui fait un sourire d'approbation.

12 h 30: pause repas. Claude Beaugrand ne va pas manger, il tâche d'identifier un son parasite qui semble provenir de son Nagra. Moi j'en profite pour aller faire un brin de jogging, histoire de m'aérer l'esprit et de décompresser un peu. Je ne trouve pas très facile d'être là sans fonction précise si ce n'est de chuchoter à l'oreille de François une remarque de temps en temps. Je commence à avoir vraiment hâte qu'on tourne des scènes avec le personnage Marc.

Claude Cartier a finalement trouvé une bande vidéo d'un match de hockey. C'est pas la ligue Nationale mais c'est mieux qu'un lecteur de nouvelles qui lève le nez sur des moules avariées!!!

Pendant les longs moments où on n'a pas besoin de Laurent sur le plateau, Marquise Lepage (deuxième assistante à la réalisation) a eu la bonne idée d'aller s'en occuper chez un voisin d'en face, une connaissance d'un membre de l'équipe.

La journée s'achève par un souper au restaurant avec Marc Daigle (producteur associé), Carle Delaroche-Vernet, François et moi. On fait le bilan des deux jours de tournage et du matériel déjà vu. En bref c'est pas mal, mais on est d'accord pour soigner encore davantage les cadrages et demander à Alain Dupras de restreindre le temps pour l'éclairage afin d'en avoir plus à la mise en scène.

9 décembre, tournage, jour 4

Toujours pas de neige. Il est 6 h 45, il fait encore nuit. Il y a du saumon fumé pour le petit déjeuner, grâcieuseté de Luc Sauvé, l'occupant du logement qu'on envahit depuis trois jours et qui est aussi photographe sur le plateau. Je m'obstine à ne pas dire le mot «craft» pour désigner la cantine, comme on le fait sur tous les plateaux. De tous les mots anglais qui sont couramment utilisés sur les tournages, c'est celui que je trouve le pire. La chose elle-même est d'ailleurs une aberration en soi. Je trouve inconcevable qu'il soit indispensable à toute équipe de cinéma en tournage d'avoir en permanence de la bouffe à portée de la main. Par ailleurs Carle Delaroche-Vernet ne cesse d'étonner tout le monde en ne prenant aucune nourriture de toute la journée.

Parlant bouffe, nous tournons le gros plan de Laurent quand il dit «j'ai faim» (scène 35). Je ne sais pas ce qu'il avait mangé ou ce que nous avions mangé, mais on a mis onze prises à le faire. Le suivant, par contre, s'est tourné en un rien de temps. C'est Denis qui a eu la bonne idée de surprendre, en le chatouillant, Laurent qui a réagi tout à fait spontanément et hop c'était dans le sac.

12 h 30: on s'arrête pour manger, mais on a dépassé les bornes, on va être puni; on, c'est-à-dire le producteur. Ça s'appelle une pénalité de repas: après cinq heures consécutives de travail si on ne s'arrête pas pour manger, tout le monde est payé en temps triple pour chaque tranche de quinze minutes supplémentaires. Dans le cas présent, nous sommes quarante-cinq minutes en retard. (!!!???!) C'est donc le moment d'une discussion ferme entre Claude Cartier, Carle, François et moi. D'autant plus qu'il est clair qu'on ne pourra pas tourner tout ce qui était prévu pour la journée sans de nouveau faire du temps supplémentaire. Il est donc décidé de terminer les scènes avec Laurent et de reporter le reste au lendemain.

On se remet au travail non sans une certaine tension. On retrouve rapidement tout de même l'efficacité des pros. Pendant qu'on se met en place pour le plan où Jean-Pierre puis Laurent parlent au téléphone à Julie, on installe déjà un éclairage de nuit dans la chambre pour la scène 37 c) où le père s'est endormi avec son enfant. J'admire le soin et la dextérité de Marc Charlebois (électricien) qui installe une fixture au plafond pour soutenir une petite lampe. Je chronomètre: ça lui prend exactement quatre-vingt-dix secondes. Avec tous les gens que je connais qui mettent des heures à installer une lampe au plafond, y pourrait faire fortune en offrant ses services!

10 décembre, tournage, jour 5

Pas de neige, on n'aura bientôt plus de scènes d'intérieur à tourner!!! La journée commence au son des coups de marteau. On enlève une porte parce qu'on filme la scène de la chambre noire (scène 46) dans une vraie chambre noire, et elle est toute petite; c'est comme les salles de bains. Bref, il est 7 h 15, et j'espère que les voisins ont bon caractère, ou alors, qu'ils sont sourds ou absents.

Chaque changement de lieu de tournage dans l'appartement de Luc Sauvé exige un chambardement complet de tout le matériel. La cantine est tour à tour passée du salon à la chambre, de la chambre à la cuisine. L'équipement d'éclairage et de machinerie est passé de la chambre au salon, au corridor. L'équipement caméra était dans la chambre noire, la garde-robe, comme l'appelle Pierre Pelletier et on vient de tout transporter dans la chambre. Il peut enfin respirer. Il me dit qu'il ne sera plus obligé de déplacer trois valises pour aller chercher le petit truc qui manque et qui est de la plus haute urgence. On a par ailleurs convenu d'ajouter une personne à l'équipe caméra afin de soulager Pierre Pelletier et accélérer le rythme de travail. Esther Valiquette est là à titre de stagiaire comme deuxième assistante à la caméra.

On termine la journée en refilmant la murale (scène 29 e), on n'était pas entièrement satisfait du cadrage), puis par le traditionnel: «Silence s'il vous plaît, son d'ambiance». Tout le monde s'immobilise. Je me rappelle qu'à la petite école la fin de la récréation était annoncée par deux coups de sifflet; au premier, nous devions nous arrêter, et au second, qui ne résonnait que lorsque tout le monde était totalement immobile (il se trouvait toujours des petits malins pour faire durer le manège), on allait se placer en rangs, deux par deux, avant d'entrer en silence dans l'école. Je trouve qu'on a l'air de ces écoliers. Je retrouve les même fous rires étouffés qui se dessinent dans des yeux farceurs, la même espièglerie de ceux qui font des gestes pour déstabiliser le silence des autres. Nous sommes tout à coup une bande de jeunes élèves en mal de récréation. «Merci, c'est tout». Les blagues fusent et on démonte tout en sirotant une bière. On en a terminé avec «l'appartement de Jean-Pierre». On en a même terminé avec la première semaine du tournage d'hiver. Par contre on attend toujours la neige pour tourner les scènes d'extérieur. On vérifie tous les jours avec anxiété les prévisions météorologiques.

11 décembre

Nous sommes en congé. Belle occasion de poursuivre nos discussions sur la question du temps de réalisation versus le temps de technique qui prend encore trop de place à notre goût. Le temps qu'on met à préparer l'éclairage empiète sur celui qui reste pour le travail avec les acteurs et la mise en scène proprement dite. Belle occasion aussi de faire un bilan : 39 plans tournés (y compris celui du marathon) en 140 prises pour une estimation de 10 m 47 s du film.

On annonce une possibilité de chute de neige pour le lendemain. On décide d'être sur le qui-vive et prêt à tourner si la prévision se vérifie.

12 décembre

Il ne neige pas à 6 h, ni à 8 h et ni à 15 h. Pas de tournage mais une séance de préparation et de découpage pour le lendemain.

13 décembre, tournage, jour 6

Luigi, le propriétaire du restaurant Modigliani où on tourne le repas raté de Julie, Jean-Pierre et Laurent (scène 36), a fermé boutique le matin même à 3 h. Il est 7 h 15, il a les yeux ensommeillés et il s'étonne qu'après avoir complètement obstrué les fenêtres, on éteigne ses lampes et on installe les nôtres. C'est pas qu'on n'aime pas tes lampes Luigi, c'est juste que la pellicule fait une différence de couleur entre la lumière du soleil et la lumière artificielle. Tellement qu'il faut utiliser toute l'une ou toute l'autre et ne jamais mélanger.

Laurent semble heureux de nous revoir. Mais, travail oblige, malgré la faim, il doit attendre qu'on soit prêt à tourner avant de manger... son spaghetti. Alors que toute l'équipe le trouve bien courageux de manger des pâtes si tôt le matin, lui semble y prendre un réel plaisir. Il est très convaincant.

Je quitte le plateau un peu avant 10 h alors qu'on s'apprête à tourner le premier plan. Je retourne sur la rue Soisson dans «l'appartement de Marc et Pauline» où j'ai passé la nuit. Je veux apprivoiser le lieu où le personnage est supposé avoir habité pendant dix ans. J'imagine son quotidien en arpentant le corridor et les pièces où je le devine et le sens de plus en plus. Je vais faire un peu de jogging, comme le personnage le ferait. Je me prépare tranquillement. Je me dis que je ne travaille pas suffisamment comme acteur. Je suis un peu nerveux.

14 h 00: Louise arrive, je l'accueille dans «notre» appartement. Nous voilà deux étrangers dans un logement inconnu à nous préparer à devenir un vieux couple de dix ans au bord de la défaite.

L'équipe arrive finalement à 15 h 30. On est en retard, c'est le branle-bas de combat avec transbordement de tout l'équipement, les huits valises de la caméra, l'équipement d'éclairage, etc. Une équipe de cinéma, c'est aussi une équipe de déménageurs et déménageuses!

Marc est en habit de jogging, il s'apprête à sortir alors que Pauline rentre d'une nuit qu'elle a passée ailleurs (scène supprimée qui sera remplacée par la scène 7). Il s'agit d'un plan-séquence, bien sûr, mais qui ne devrait pas être compliqué. Or, pour toutes sortes de raisons, la porte de la garde-robe qui ne s'ouvre pas suffisamment, le miroir qui n'est pas placé dans le bon angle, etc, après la septième prise, Claude Cartier, intervient pour dire qu'on est en retard et qu'il faut terminer ce plan au plus tôt. Comme si on ne le savait pas (!). Le plan est finalement déclaré tourné après la douzième prise. À la fin de la journée, on s'est dit qu'il aurait mieux valu s'arrêter quelques minutes après quatre ou cinq prises, faire le point et reprendre le travail ensuite, plutôt que de s'obstiner et voir monter la tension et la nervosité de tout le monde. Toujours plus facile à dire et à penser après.

14 décembre, tournage, jour 7

J'ai préparé le café pour l'arrivée de l'équipe. Catherine Thabourin est la première arrivée comme toujours. Karine Lepp la suit. Il est 6 h 45. Puis Cathryn Caseault arrive et je m'abandonne avec délice à ses mains de maquilleuse. Pour moi c'est le moment privilégié de la journée d'acteur. C'est comme si le personnage Marc m'entrait doucement par les pores de la peau du visage. Derrière la porte fermée, c'est le terrible vacarme des planchers qui craquent sous les pas de toute l'équipe affairée. Y a même les voisins du dessous qui s'impatientent régulièrement et que Catherine Thabourin doit calmer à grands coups de diplomatie.

Alain Dupras s'était bien promis de ne plus jamais tourner de scènes de salle de bains dans une vraie salle de bains à moins que la pièce en question ne soit exceptionnellement grande. Mais nous n'avons finalement pas trouvé mieux que celle qui se trouve ici dans l'appartement de Marc et Pauline. On va bien sûr se servir du miroir pour élargir le champ de vision. On installe la caméra à l'extérieur de la pièce sur un faux plancher pour faire un léger travelling. Il s'agit d'un plan-séquence d'environ deux minutes et demie (scène 13). Une fois que toute la technique est au point, l'équipe se retire et nous répétons, nous nous préparons, Louise François et moi. Nous travaillons sur des culpabilités refoulées et des infidélités plus ou moins assumées, le tout sur climat d'intimité et de nudité. L'équipe revient et on lance la machine. Tout va bien sauf le son: la caméra qui doit s'approcher à environ un mètre des personnages fait trop de bruit, lequel est amplifié par la résonnance des murs de céramique. Pour Claude Beaugrand il est clair que ce sera un cas de postsynchronisation. Nous nous disons François et moi, qu'il faudra d'abord mettre à l'épreuve les possibilités, supposées infinies, des équipements de studio de son lors du mixage.

Claude Cartier, Carle Delaroche-Vernet, François, Marc Daigle et moi, profitons de l'heure du repas pour nous rendre sur le coin de rue où nous devons absolument tourner demain. Nous y rencontrons Louis Craig, responsable des effets spéciaux. Après lui avoir expliqué ce que nous voulons, il nous assure que nous ne verrons pas la différence entre sa neige artificielle et la vraie.

Pour tourner la scène 33 (Jean-Pierre et la Jeune femme font l'amour), on transforme une pièce de l'appartement de Marc en «chambre à coucher chez la Jeune femme». Pour des raisons de respect et de pudeur, l'équipe de tournage est réduite au minimum sur le plateau. Pendant qu'à la cantine, on en profite pour théoriser sur la température, le réchauffement de la planète et l'effet de serre, Claude Beaugrand me prête des écouteurs afin que je puisse «voir» la scène en tournage avec mes oreilles. Il suffit de n'avoir accès à la réalité que par les oreilles, pour se rendre compte jusqu'à quel point nous fonctionnons surtout avec et par nos yeux et que l'univers sonore est absolument fascinant. Je te comprends Claude d'être fasciné par le son.

15 décembre, tournage, jour 8

7 h 00: on répand sur le sol de la glace concassée alors que la ouate qui garnit la corniche du «Bedon dodu» ressemble à de la vraie neige que c'est effectivement à s'y méprendre.

Pour les prises de vue qui deviendront des photos dans le film, nous utilisons une deuxième caméra dont Alain Dupras dispose en permanence afin d'être toujours prêt suivant les conditions météorologiques. C'est effectivement une bonne idée, mais la caméra en question, une Cameflex, fait un vrai bruit de tracteur. Un doute quant à la qualité des résultats a parcouru l'équipe, puis s'est transformé en un immense éclat de rire.

14 h 10: la neige, de la vraie, se met à tomber. Une véritable excitation d'enfant s'empare de tout le monde. On tourne, à la suite, une série de petits plans, des «photos» qu'on retrouvera surtout au début du film. Puis je vais stationner ma voiture (celle du personnage Jean-Pierre) devant «l'appartement de Jean-Pierre» afin qu'elle soit complètement enneigée pour le tournage du surlendemain. Mais il y a eu erreur. Je dois revenir en catastrophe, on en a encore besoin sur le coin de rue; chassé-croisé tout à fait ridicule. Pendant ce temps-là, au bureau, Danielle Charlebois fait des téléphones pour demander qu'on ne déblaie pas la rue où on doit tourner après-demain. Surprise, la rue en question (Hutchison) est à la frontière entre Montréal et Outremont; le côté est appartient à Montréal, le côté ouest, à Outremont. Nous voulons utiliser le côté ouest. Or, nous n'avons aucune permission de la ville d'Outremont pour filmer. J'imagine la panique et la diplomatie de haute voltige

qu'ont dû déployer Danielle et Claude Cartier pour que, non seulement les autorités ferment les yeux sur notre délinquance, mais s'abstiennent de faire déblayer la rue.

15 h 45: après avoir consulté une nouvelle fois son posemètre, Alain Dupras dit: «Il n'y a plus assez de lumière pour cette prise. Je ne réponds plus de ce qu'il y aura sur la pellicule.» C'est ainsi que, faute de lumière, le tournage de la scène 8 est arrêté et reporté à plus tard.

16 décembre, tournage, jour 9

La neige n'a pas cessé de tomber depuis hier. Nous en voulions, nous en avons! Comme il ne fait pas très froid, notre arbre est couvert de neige collante.

Nous tournons les scènes 1, 15, 16, 17 et 18. Il faut transformer un peu le décor entre chacune afin de marquer le passage du temps: pelleter un peu de neige-là, gratter ici, enlever les décorations de Noël dans la vitrine, placer les aiguilles de l'horloge... Vite! une charrue s'en vient, on la tourne. Tout le monde qui se trouve devant la caméra, dans le cadre, se sauve de tous les côtés. Ni Alain Dupras, ni Pierre Pelletier ne sont là et c'est finalement Esther Valiquette qui appuie sur le bouton. Il faut dire que les plans du coin de rue sont tous de même cadrage et en plan fixe (toujours l'idée de photo), donc on bloque la caméra et il n'est même plus nécessaire de regarder dans le viseur. Ce plan deviendra la photoscène 3.

Nous terminons la journée par le tournage de la scène 23, celle où le personnage Jean-Pierre propose au patron du snack-bar de lui acheter l'horloge de la vitrine. Après la deuxième prise du premier plan, Claude Beaugrand dit qu'il entend un drôle de bruit et qu'il faut recommencer la prise. En ré-écoutant le ruban il découvre que c'est Denis qui mâche du chewing-gum trop bruyamment.

Pendant l'enregistrement du son d'ambiance, j'observe Gaétanne Lévesque qui, l'index appuyé sur le coin de la bouche, a l'air songeur. Elle est sûrement en train de repasser dans sa tête la liste des costumes à préparer et à apporter pour le lendemain. Elle a toujours une solution à nous proposer lorsque nous changeons d'idée par rapport à ce qui a été prévu.

17 décembre, tournage, jour 10

Nous tournons la scène 14 (Jean-Pierre déneige sa voiture avec Laurent). La rue Hutchison n'a pas été déblayée. C'est magnifique. Les arbres qui bordent la rue sont couverts de cinq cm de neige. Le soleil est de la partie et donne à la scène une lumière éblouissante. Il y a deux filtres devant l'objectif et l'ouverture du diaphragme est tout de même à f5.6 1/2.

Aujourd'hui, avec l'accord de toute l'équipe, nous travaillons selon un horaire qu'on appelle «plateau français», c'est-à-dire qu'on ne s'arrêtera pas pour manger et qu'on va travailler sans interruption pendant huit heures. Il y aura sur place de la nourriture chaude que les gens pourront prendre quand ils auront le temps. C'est vraiment plus efficace. Je ne peux m'empêcher de penser que, pendant l'heure qui suit un dîner, les énergies sont en grande partie consacrées à la digestion et que la concentration au travail ne peut qu'en être affectée.

Claude Beaugrand a demandé le silence. Tout le monde s'est arrêté. Je me suis précipité pour demander à un homme de cesser de pelleter son perron quelques instants pour qu'on enregistre du silence!!! Vingt personnes immobiles sur un trottoir. Des passants se demandent, ahuris, ce qu'on peut bien être en train de faire. Claude a les mains en l'air comme pour arrêter le temps.

François me prend à part pour manifester son mécontentement au sujet de mes interventions sur le plateau de tournage. Il me rappelle notre pacte: que la co-réalisation doit se passer entre nous et non entre moi et les membres de l'équipe. Le travail de mise en scène sur le plateau doit se faire exclusivement entre lui et l'équipe. C'est vrai. Il m'est difficile, lorsqu'on me demande quelque chose qui a rapport à la réalisation, de répondre: «Va demander à François». Mais il a raison et je sais bien que si j'étais à sa place, je réagirais de la même façon. Heureusement, c'est plus facile lorsque je deviens acteur. J'ai alors suffisamment à faire sans me sentir frustré de ne pas être mêlé à la mise en scène. Tout cela, je le sais, repose sur la confiance qui s'est édifiée sur une douzaine d'années de collaboration et sur la certitude que ce processus de co-paternité entre nous fonctionne et donne de bons résultats. Je dois me dire tous les jours, et j'y arrive, que l'addition de ce qu'on apporte tous les deux, est plus que la somme.

20 décembre, tournage, jour 11

C'est un beau dimanche matin tranquille, il neige abondamment. Nous exécutons en deux temps trois mouvements le plan extérieur (Marc arrive au collège en joggant. Cette scène a été supprimée au montage.), et nous voilà à l'intérieur dans une classe de collège pour un autre plan-séquence avec le personnage Marc (scène 20).

Il y a une vingtaine d'élèves, figurants et figurantes, recrutés par Marquise Lepage. Pendant qu'une des figurantes me demande si je suis un vrai professeur dans la vie, d'autres pensent que c'est Marquise la réalisatrice. Faut dire que c'est elle qui les a contactés et leur a expliqué ce qu'il faut faire. Vu de l'extérieur, il n'est vraiment pas facile de déterminer la fonction de chacun.

On tourne finalement la scène en trois plans et ce sera la seule entorse au principe des plans-séquences pour le personnage Marc. Si on veut vraiment voir sa réaction devant le gars qui tombe sur le trottoir d'en face, on n'a pas le choix. On a tout essayé lors du découpage et rien à faire. Moi je me dis qu'au montage on n'aura probablement pas besoin de cette réaction et qu'on pourra respecter cette exigence du plan-séquence. (Finalement, au montage, non seulement la réaction de Marc, mais même le gars qui tombe, a été supprimé.)

21 décembre, tournage, jour 12

Dans la salle de travail du personnage Marc, on s'affaire à garnir le babillard de photos du coin de rue. Sur chacune, j'inscris la date à laquelle ladite photo aurait été prise. Philippe Palu (machiniste) a un horrible mal de dent. Il travaille néanmoins avec une précision et une rapidité étonnantes. Faut le voir installer les contre-plaqués par terre pour un travelling ou encore découper les gélatines qu'il faut appliquer sur les vitres afin de filtrer les rayons du soleil.

La scène 2 est un plan plutôt technique. Il s'agit de filmer la photo du coin de rue qu'on a tirée du plan de la scène 1, et qui est sur le babillard, exactement plein cadre, comme si on était réellement sur le coin. Les seules différences: la fixité et le noir et blanc. La caméra en reculant découvre Marc en train de taper à la machine. Il s'agit, en somme, de passer de l'extérieur à l'intérieur (scène 1 à scène 2) sans que le spectateur puisse voir le stratagème sauf le gel de l'image et le changement de la couleur au noir et blanc qui se fera en long fondu enchaîné. Pour arriver à reprendre sur la photo exactement le même cadrage qu'à l'extérieur, la technique consiste à coller sur le verre dépoli du viseur de la caméra un tirage très contrasté du plan déjà tourné (la photo, scène 1). Le caméraman peut alors recadrer la photo du babillard en superposant les deux images identiques. Nous découvrirons plus tard, sur la table de montage qu'il y a un léger décalage vertical dû au fait qu'on n'a pas utilisé la même caméra pour les deux plans et que la fenêtre d'exposition n'était pas tout à fait la même dans les deux cas. Il faudra donc recadrer un des deux plans en laboratoire à la finition du film. On croyait avoir tout prévu et voilà qu'un détail nous a échappé.

Nous nous apercevons tout à coup que nous n'avons pas la photo dont nous avons besoin pour la scène 22. Il s'agit d'une photo qui a déjà été tournée et qui, tirée en photo fixe, doit servir d'accessoire à Marc qui l'observe et qui, inspiré, se met à écrire. Il est 12 h 45 et nous serons prêts à tourner vers 14 h 30. Claude Cartier se précipite au laboratoire pour aller chercher les deux négatifs et les porter ensuite à Luc Sauvé qui devra les développer sur-le-champ et nous les apporter le plus vite possible. Pendant ce temps, quelqu'un est parti chercher Luc, en train de manger au restaurant, et va le conduire chez lui dans sa chambre noire. À 14 h, Luc est dans sa chambre noire et attend Claude qui est en route. À 14 h 05, Claude arrive chez Luc avec les négatifs. À 14 h 40, Claude revient sur le plateau avec les deux photos. Ouf! «Stand by! On tourne».

La journée se termine par la scène 11 dite de «l'inversion». Après une assez longue discussion où il est question d'exhibition-nisme et de pudeur, on décide que je ne serai pas en slip, mais por-terai un survêtement de jogging. Sitôt le plan tourné, tout le monde aide à transporter et ranger le matériel dans les camions, et on prend un verre pour fêter la fin du tournage d'hiver (à part la scène 8 (interrompue faute de lumière) et la scène 9 qui doivent être tournées en janvier).

Fin du 1er bloc de tournage

4 janvier 1988

Petit lundi tranquille de retour de vacances. Danielle Charlebois est au poste de même que Jean Brien, l'infatigable administrateur-comptable. Il me dit avoir travaillé pendant le congé des fêtes: «Il y avait des petites choses à faire, je ne voulais pas accumuler de retard...» Jean est vraiment un collaborateur précieux. Je connais peu de gens d'une telle intégrité et d'une telle générosité.

10 janvier, tournage, jour 13

Le plaisir de retrouver l'équipe et de se souhaiter la Bonne année. Pour la scène 9, le découpage consiste en une série de plans larges où on voit évoluer les deux personnages dans de petites actions anodines du genre: l'un montre à l'autre à patiner à reculons, l'un fait une chute, l'autre parle à une patineuse, etc. Il fait beau mais très froid. Nous voulons utiliser la tombée du jour, c'est-à-dire commencer sous une lumière éblouissante et terminer de nuit en passant par la brunante qui a lieu vers 15 h 30. Sur ces images, on prévoit un dialogue entre Marc et Jean-Pierre qui sera entendu en hors-champ et que Denis et moi enregistrons à la toute fin de la journée de travail quand le matériel est rangé et qu'on peut entendre le silence. Et puis c'est le lent réchauffement avec des picotements dans la peau.

27 mars

Les séances de découpage avec Carle Delaroche-Vernet et Alain Dupras reprennent. On retrouve nos rituels: François a apporté des beignes et Claude Cartier est venu nous porter des fruits. Carle trace avec minutie, sur les plans que nous a préparés Karine Lepp, les angles de prise de vue et les mouvements de caméra.

Les périodes entre les tournages nous servent également à vérifier auprès de monteurs chevronnés si nous avons bien, dans le matériel déjà tourné, tout ce dont nous aurons besoin au montage. André Corriveau commente le matériel tourné et Yves Chaput nous conseille sur le découpage.

8 avril

Les répétitions sont commencées. En après-midi, nous nous rendons à la salle de mixage. Nous voulons vérifier les scènes où on entend le bruit de la caméra. La scène 13, Marc et Pauline dans la salle de bains, est la plus problématique. François et moi sommes très réfractaires à l'idée de postsynchronisation et voulons être certains que tout a été tenté pour rendre le son direct acceptable. Je suis personnellement convaincu que le jeu d'acteur ne peut être aussi bon en studio alors qu'on est seul devant un écran et qu'on travaille par petits bouts, que lorsqu'on est en continuité et en interaction avec le ou la partenaire. Je rappelle d'ailleurs à Claude Beaugrand les fameux «pofs» de vent dans le micro qu'on pouvait entendre dans *L'ami de mon amie* et qui n'enlevaient rien au film. Il semble bien qu'on va pouvoir supprimer les fréquences qui correspondent à celles du bruit de la caméra sans trop altérer les voix. Quand la technique fait des merveilles! (On reviendra plus tard sur cette décision et la scène en question sera finalement post-synchronisée... pour le meilleur?)

En soirée, François et moi partageons un repas au restaurant et en profitons pour faire le point. C'est le temps de nommer les difficultés ou les écorchures du terrible partage de la responsabilité de ce film. Nous avons acquis de l'expérience et de l'assurance depuis *Jacques et Novembre*, mais le travail à deux se conjugue comme la vie de couple: difficilement.

9 avril

Je renoue avec Louise, ma partenaire dans le film. Je considère important qu'on établisse un peu de connivence avant de redevenir Marc et Pauline: les vieux amants. Ironie du hasard, on va au théâtre voir *Qui a peur de Virginia Wolf?*!

13 avril

Le début du tournage du printemps approche. L'équipe se reconstitue de jour en jour. Aujourd'hui on visite des lieux de tournage Poste de police (scène 31), un bout de la rue Fabre (scène 29 c), le restaurant L'Agora (scène 27 a), etc... Sont présents: Carle Delaroche-Vernet, Alain Dupras, Claude Beaugrand, Pierre Pelletier, Philippe Palu, Karine Lepp, Claude Cartier, François et moi.

À la réunion de production, nous sommes très contents de constater que la plupart des gens de l'équipe des tournages précédents sont là. Ce sont des retrouvailles plutôt joyeuses autour d'une grande table garnie de croustilles, de vin et de fruits. Il y a des nouvelles têtes: Lucille Demers remplace Kathryn Caseault au maquillage, Paul Rémilleux (dit Paulo) et Andrée Bouvier travailleront à titre d'assistants de production, et Claude Laflamme, qui avait déjà participé au tournage du marathon comme assistant de production, assistera Karine Lepp aux décors et accessoires. Il dit: «Les assistants sont les pneus de la machine, ils sont très importants dans la tenue de route.» Il ajoute valoir lui-même un Michelin!

14 avril

Je suis au bureau de production et pendant que Catherine Thabourin est à régler un dernier petit problème de régie, prévoir une toilette chimique pour le tournage en extérieur de la rue Fabre (scène 29 c), Danielle Charlebois me fait part de sa hâte de voir recommencer le tournage. C'est fou le travail qu'elle a à accomplir en préparation: tous les contrats d'embauche à préparer, les lettres à écrire et envoyer à tous ceux à qui il faut demander ceci ou dire cela, etc. Et puis, pendant le tournage, elle n'a plus tout le monde dans les jambes. À la blague elle me dit être alors en vacances. Je sais que ça veut dire qu'elle est tout simplement plus à l'aise pour travailler.

François me fait part d'une idée qu'il vient d'avoir. On s'était déjà dit qu'il faudrait tourner au moins un plan, non prévu au scénario, où on pourrait voir Jean-Pierre tout seul. En effet, ce personnage est constamment entouré de monde, de bruit et dans des situations où l'action est omniprésente. Il manque selon nous au moins une scène, un plan, où on pourrait le voir seul et avoir ainsi accès à son intériorité et semer le doute sur son apparente inconscience. François a donc eu l'idée de filmer Jean-Pierre seul au belvédère du Mont-Royal, avec en arrière-plan, les tours Miron qui s'effondrent (scène 55). Leur démolition est en effet prévue pour dimanche prochain et il devrait être possible d'avoir une deuxième équipe qui filmerait Jean-Pierre alors que nous serions en train de tourner les scènes prévues à l'horaire.

2ᵉ BLOC DE TOURNAGE

16 avril, tournage, jour 14

On commence de bonne heure parce qu'il faut avoir quitté à 15 h; le restaurant L'Agora où on tourne ouvre ses portes à 16 h. Dans le coin «costumes et maquillage» on s'affaire à changer les faux ongles de Violaine pendant que Denis se familiarise avec l'équipement de photographe qu'il devra manipuler avec l'aisance d'un pro (scène 27 a): Jean-Pierre, en retard, fait son baratin au chef et à Julie). On commence par le gros plan des mains de Violaine qui dépose des fleurs sur une table et on met un temps fou à choisir le bon cadrage. Karine Lepp insiste auprès de François pour inclure dans le cadrage les accessoires dont elle a pu obtenir la commandite. Elle dit s'y être engagée auprès des commanditaires. Elle a, effectivement, un budget très serré et elle s'efforce de faire des économies. François use de diplomatie tant qu'il peut, mais je sais qu'il est furieux.

À un moment donné, sans trop savoir pourquoi, la machine s'enraye. Ça n'avance plus. Le moindre problème n'est solutionné qu'après un temps fou de discussion. On met près d'une demi-heure à tergiverser sur la couleur des bougies à utiliser. Le climat est tendu. À 10 h 45, seulement quatre plans, faciles, sont tournés. Il en reste onze et moins de la moitié du temps de travail prévu. La journée a commencé difficilement et il semble qu'elle sera longue bien que trop courte!

Après le repas, le rythme s'accélère un peu. Je me demande si la lourdeur du tempo de ce matin n'est pas dû au fait que l'équipe a quelque peu grossi depuis le dernier tournage. On voulait une toute petite équipe et, depuis le début, il s'est ajouté une stagiaire à la caméra, un machiniste, un assistant aux décors et accessoires et un assistant de production.

15 h : le temps presse et tout le monde est en état d'urgence. Chacun s'active avec une fébrilité incroyable et la machine semble maintenant fournir un rendement très professionnel. Je me dis que ce n'est pas la première fois que ces gens-là travaillent sous pression. On finit tout de même les plans d'intérieur sur les dents. Il en reste trois à tourner à l'extérieur (scène 27 b). La pression du temps est moins forte, mais celle de la température est là : il pleut et il fait froid.

17 avril, tournage, jour 15

Pendant qu'on prépare la technique, je répète la scène avec le collègue furieux (joué par Pierre Powers, scène 40). Il s'agit d'une empoignade sur un piquet de grève devant l'entrée du collège où enseigne le personnage Marc. Je m'en prends à ce collègue que je traite de tous les noms, on en vient à se bousculer ferme et on doit nous séparer. Pendant une des répétitions, en prenant Pierre par le collet, je déchire par accident sa veste de cuir. Heureusement pour lui la production va assumer le coût des réparations qui s'imposent, et heureusement pour la scène, il a apporté avec lui un imper. Le plan se tourne en séquence, évidemment, et à la Steadycam. Les déplacements en soi ne poseraient pas de problèmes si ce n'était du soleil qui provoque des reflets dans l'objectif. Faut voir le véritable ballet des machinistes qui doivent tenir des caches noires pour couper les rayons de soleil indésirables sans être dans le champ du cadrage et qui doivent bouger au fur et à mesure que la caméra se déplace de bas en haut d'un escalier d'une dizaine de marches.

Pour le plan suivant (scène 28), on utilise une grue pour suivre Marc qui, après avoir téléphoné à Pierrette d'une cabine, traverse la rue et va rejoindre ses collègues sur le piquet de grève. À l'occasion de la deuxième prise, en traversant la rue à travers le trafic je (Marc) me faufile devant une Renault 5 et j'entends qu'on klaxonne avec insistance et qu'on m'interpelle, vraisemblablement de la voiture en question. Comme la caméra tourne, je continue comme si je n'entendais pas. J'apprends après le «coupez» que c'était Nathalie (la Jeune femme) qui passait par là par hasard et qui en me voyant traverser la rue devant sa voiture a voulu me saluer sans apercevoir, de l'autre côté, la caméra, la grue et toute l'équipe. C'est le rire général pour nous. Pour Nathalie, m'a-t-elle confié plus tard, c'est la honte de sa vie. Moi je me dis que c'est tout de même un hasard incroyable.

Nous ne sommes pas au bout de nos surprises. Au moment de reprendre le travail après le dîner, nous nous retrouvons coincés au milieu des quelque vingt-cinq mille personnes qui défilent sur la rue Saint-Denis pour manifester en faveur du maintien de la loi 101. Impossible de déplacer nos camions. Il faut attendre. Cette situation de surprise est tout à fait symptomatique de l'isolement, en dehors du monde, d'un tournage de film. Quant à moi, je réprime mon premier réflexe d'impatience en me disant que nous, qui voulons continuer à faire nos films en français, aurions dû être au nombre des manifestants.

La scène suivante est un autre plan-séquence qu'on tourne à la Steadycam. Il s'agit de la scène 41: Marc casse la vitre de la porte du local du syndicat et se dirige rapidement à travers les corridors vers son bureau pour prendre ses affaires et claquer la porte. Ce n'est pas simple. Non seulement il faut régler le mouvement de la caméra, mais il faut également placer les figurants et figurantes et équilibrer les différentes sources de lumières: des néons, des lampes au mercure, d'autres au tungstène et la lumière du jour qui entre par les fenêtres. Il y a aussi la vitre qu'il faut remplacer entre chaque prise. Claude Laflamme nous a assurés pouvoir le faire en moins de cinq minutes. Après la troisième prise, il s'est chronométré à 3 m 27 s.

Comme l'éclairage à faire est complexe et que le travail à la Steadycam, à cause du poids, exige une condition physique qu'Alain Dupras n'a pas eu le temps de reprendre, on a eu recours à Steve Campanelli. Ce gars-là aime son travail, et non seulement ça se sent, mais ça se communique. Il me dit: «Entre l'acteur et la Steadycam, c'est comme une danse». Et c'est en effet toute une chorégraphie pour ces sept personnes qui, à reculons, au pas de course et dans le plus grand silence possible, me précèdent dans les corridors.

17 h 00: notre journée au collège est terminée. Mais les tours Miron ne sont toujours pas tombées. La manœuvre n'a pas fonc-

tionné à l'heure prévue et ce n'est qu'en début de soirée, alors que François était allé rejoindre Éric Cayla, deuxième caméraman, qu'une des deux tours s'est finalement effondrée.

18 avril, tournage, jour 16

10 h 30: la sortie du poste de police est tournée et l'auto du personnage Marc est fixée sur une remorque. Nous sommes prêts à tourner l'engueulade en auto (scène 32 b).

Entre chaque prise on perd beaucoup de temps car nous devons contourner tout un pâté de maisons pour revenir à notre point de départ et être prêts à tourner de nouveau. De plus, nous devons attendre les feux de circulation afin d'avoir le champ libre et arriver au bon moment, sur la bonne réplique, à notre fameux coin de rue. Il y a aussi des petits problèmes causés par l'alternance de moments ensoleillés et de moments nuageux. Pour assaisonner le tout, on doit attendre l'objectif zoom pendant une vingtaine de minutes. À part ça, il est comique de voir s'empiler, sur la banquette arrière d'une Volkswagen Golf, Carle, François et Claude Beaugrand qui doivent s'accroupir pour ne pas être dans le cadrage.

Pour le dernier plan il s'agit de donner l'impression que la caméra est dans l'auto comme pour les plans précédents, lesquels seront montés en champ et contrechamp. Mais quand l'auto repart après un court arrêt, la caméra reste sur place, à la surprise du spectateur (nous l'espérons), et découvre le fameux coin de rue que Marc n'a pas remarqué et que Jean-Pierre s'est bien gardé de lui montrer. La caméra doit donc se déplacer quelques secondes et s'immobiliser avec l'auto comme si on était dedans alors qu'elle est à côté sur des rails. Il faut donc qu'elle soit fixée à l'auto jusqu'à l'arrêt du véhicule et qu'elle ne le soit plus ensuite pour le laisser partir seul. Ce n'est pas aussi simple que cela en avait l'air. Il ne faut pas que la caméra bouge d'un poil pendant qu'on la détache de la voiture et Philippe Palu a dû avoir recours à un crochet spécial utilisé en marine à voile et qui s'ouvre d'une simple pression du doigt.

19 avril, tournage, jour 17

On désirait une impression de matin pluvieux venant par la fenêtre. Or, dehors, il fait un soleil superbe. Qu'à cela ne tienne: une lampe HMI de 4 kilowatts sur le camion de Philippe, un écran de soie devant la fenêtre à l'intérieur et le tour est joué. On a l'impression d'une pluie douce contre la vitre qu'on ne voit ni n'entend, mais qu'on devine très bien.

Une fois de plus, c'est l'envahissement d'un appartement qu'on a bien voulu nous louer. On entasse des meubles dans un coin, on empile des choses dans une pièce qu'on ferme, on branche les fils électriques dans la boîte centrale, on les fait courir partout, on établit la cantine dans un coin de la cuisine, la maquilleuse s'installe dans un autre coin avec sa chaise, sa table, son miroir, sa lampe et un paravent.

Une fois le décor, les accessoires et l'éclairage mis en place, toutes les personnes qui ne sont pas indispensables sur le plateau se retirent par respect. On tourne la scène 12: Jean-Pierre et Julie font l'amour. Je note dans mon calepin: le chuchotement de quinze personnes qui s'affairent et le craquement du plancher sous quinze paires d'espadrilles qui se déplacent sans cesse.

Une confusion s'abat soudain sur l'équipe avec des allures d'accent circonflexe entre les deux yeux: Sommes-nous rendus à la prise 4 ou à la prise 5? Y a-t-il eu une prise 3? A-t-elle été identifiée? On ne sait plus et c'est comme s'il s'agissait de savoir si on a bien fermé le gaz avant de partir! C'est en effet un petit détail qui prend toute son importance au montage.

Claude Cartier arrive vers 12 h 30 avec le bœuf Wellington qui a servi d'accessoire pour le tournage d'il y a deux jours. On travaille en «plateau français» et chacun pourra manger chaud au gré de ses temps morts. Évidemment il y a des jobs qui laissent plus d'occasions de s'arrêter que d'autres. Une fois que le travail de répétition et de tournage proprement dit est amorcé, l'éclairagiste et souvent le machiniste, la maquilleuse, la costumière, la décoratrice, etc, sont moins occupés; une retouche ici, un ajustement-là et c'est parti pour plusieurs prises, jusqu'au prochain changement de position de la caméra. Mais il n'y a pas beaucoup d'arrêts du côté de la réalisation et de la direction photo. Il faut constamment voir à répondre à toutes les questions: si on faisait ça comme ceci, qu'est-ce que tu penses de ça, on devrait peut-être tourner ce plan-là avant celui-ci, etc... François, Carle et Alain Dupras n'arrêtent jamais.

Je ne suis pas sur le plateau proprement dit, je suis dans le corridor et on ferme la porte sur l'essentiel de l'équipe pour créer un meilleur climat d'intimité. J'entends François expliquer la scène à Denis et Violaine; travail exigeant et délicat sur le fragile matériau de l'âme. Trouver le mot, l'image, l'idée, une histoire, la provocation parfois, pour préciser, provoquer l'émotion, la faire surgir du fond d'une mémoire très particulière où le souvenir vient avec sa charge de joie, de peine et de larmes s'il le faut. Quel travail de connivence extraordinaire sur la mémoire du corps aussi bien que de l'âme. Car, il faut bien le dire, de l'extérieur, tout a l'air ridicule.

L'amour, la passion, les chuchotements se font parmi une quin-caillerie incroyable: des caches noires comme une série de volets devant des projecteurs, des fils électriques qui courent partout, des trépieds, et surtout du monde tout autour qui s'affairent, éclatent de rire parfois et ont l'air de ne pas être concernés du tout par le travail d'acteur. Malgré tout cela, avec tout cela: Denis et Violaine, Jean-Pierre et Julie, et l'émotion qui se réchauffe, affleure tranquillement sous la peau.

Alain Dupras, Pierre Pelletier, Carle, François et moi allons tourner le plan de la scène 34: travelling latéral accompagnant le personnage Marc qui court sur l'estacade (scène 25). Il fait froid et venteux.

19 h 30: on va voir les rushes des trois derniers jours. Jean Brien est là ainsi que Suzanne Bouilly, assistante au montage, qui vient voir le matériel, histoire de se familiariser avec les images avec lesquelles nous devrons vivre pendant des mois. Il y a également Françoise Tessier qui s'est nouvellement jointe à l'équipe comme apprentie scripte; Carle cumulait, depuis le début, le travail d'assistant réalisateur et de scripte pour des raisons de petite équipe. C'était beaucoup demander et l'arrivée de Françoise le soulage. Steve Campenelli est venu lui aussi. Il veut vérifier son travail. Il y a Éric Cayla qui a tourné le plan avec Denis et la tour Miron qui tombe. Il a fait le plus vite qu'il a pu dès qu'il a entendu l'explosion, mais on ne peut évidemment pas voir le début de la chute de la tour. Ça ira. À part quelques détails, donc, on est content.

20 avril, tournage, jour 18

Nous voilà de retour dans l'appartement de Marc et Pauline, rue Soisson. On tourne cette fois dans l'espèce de toute petite véranda attenante à la cuisine: Marc apporte des fleurs à Pauline (scène 26). Un faible rayon de soleil vient caresser les nombreuses plantes et incendier les cheveux de Louise.

Claude Beaugrand ne peut pas être avec nous aujourd'hui. Nous sommes un peu étonnés mais il nous a assurés qu'Esther Auger et lui forment si bien équipe qu'il peut être remplacé par elle sans aucun problème. Elle fera donc le travail de Claude et c'est Catherine Van Der Donckt qui la remplacera à la perche.

Après la pause repas du midi, on se met en place pour la scène 38: Marc aide Pauline à préparer son déménagement. Toujours le plan-séquence. Philippe Palu a dû construire un faux plancher en contre-plaqué par-dessus le vrai pour le déplacement de la caméra sur le dolly, de la chambre à coucher jusqu'au salon en passant par le corridor: deux centimètres de marge de manœuvre dans les deux cadrages de porte qu'il faut franchir et quatorze changements de foyer.

Avant les prises, nous nous retrouvons Louise et moi chacun dans notre pièce, elle dans le salon et moi dans la chambre, comme deux bêtes qu'on isole avant l'affrontement. Nous nous préparons. Je me penche sur les vêtements de Pauline et je fouille dans ma mémoire. Je me rappelle une rupture et la vaisselle qu'il avait fallu partager dans les larmes et la déchirure. J'imagine Louise en train de faire la même chose en écoutant «Let it be» (au montage on choisira finalement «Suzanne» de Leonard Cohen). «Action!» C'est parti, je suis pris dans le marécage d'une rupture que Marc ne veut pas s'avouer qu'elle fait mal. Je vais rejoindre Louise-Pauline qui, de dos, semble complètement absorbée par ce qu'elle entend dans les écouteurs. Sept personnes se contortionnent derrière la caméra, entre le mur et le dolly. Je ne les vois pas, mais je sais qu'elles sont là. Je les sens par une sorte de deuxième conscience alors que la première est toute à l'émotion de cette rencontre avec Louise-Pauline qui pleure.

Je suis content. Je suis impressionné par la qualité et la force du travail de Louise. Quel plaisir et quel stimulant de travailler avec une telle comédienne.

Pierre Pelletier aussi est content, il me dit: «Y a pas un appareil qui pourra suivre (à la mise au foyer) un acteur comme un être humain peut le faire: lui laisser la marge de manœuvre, le suivre dans la petite hésitation imprévue...»

Avant d'aller voir les rushes, nous reprenons le plan de la scène 11: l'inversion. Il faut absolument qu'on puisse voir le gréement qui permet de se suspendre la tête en bas. Le plan large que nous avons déjà tourné n'est pas suffisamment explicite.

Cette fois, les rushes nous déçoivent un peu. La scène d'amour entre Julie et Jean-Pierre (scène 12) n'est pas très réussie. La mise en place n'est pas vraiment intéressante, les cadrages ne sont pas très élégants et le personnage Julie ne va pas tout à fait dans la direction prévue. Bref, une série de «pas très» qui ne sont pas réjouissants. C'est pas la catastrophe mais c'est sûrement pas ce qu'on a fait de meilleur.

21 avril, 16 h 45

Les acteurs et actrices ne sont jamais, ou presque, présents aux rushes. C'est vrai que ça prend du temps et je ne sais trop quelle sorte de déclic mental pour se regarder sur un écran et prendre du recul, voir le jeu et le personnage plutôt que soi-même. Je n'y arrive pas toujours facilement et du premier coup, mais je sais que je peux y arriver et que je devrai le faire avant de me retrouver à la table de montage. Aux rushes, chacun ne regarde et ne voit que ce qu'il a fait: les costumes, les décors, l'éclairage, le cadrage, la lumière, le mouvement de la caméra, etc. François et moi sommes à peu près les seuls à observer le jeu. Et cette fois, pour la scène 38, j'ai de la difficulté à prendre du recul et à bien évaluer. J'avais l'impression que ce qui s'était passé sur le plateau était plus fort que ce qu'il y a sur la pellicule. Je suis étonné, entre autre, par la brièveté du plan. Sur le plateau, je n'entendais pas le «Coupez» et j'avais eu l'impression que le plan avait été beaucoup plus long. J'aurais tellement besoin qu'on me dise que c'est bon. J'ai tellement peur que si on ne me dit rien, c'est parce que c'est pas bon!

23 avril, tournage, jour 19

8 h 30: un plan-photo d'une clocharde sur le coin de rue (scène rejetée au montage), est tournée et on est déjà sur les lieux pour la scène 31: Jean-Pierre au poste de police. Comme la scène est courte, on la tourne en entier pour chaque angle de prise de vue. Nous aurons toute la latitude, au montage, de choisir les parties qu'on veut sous l'angle qu'on veut.

«Coupez!» On a oublié de dire à la policière (une vraie qui joue son propre rôle) qu'elle doit réellement allumer la cigarette de Jean-Pierre et non plus faire semblant comme pour les répétitions. On oublie trop facilement qu'un plateau de tournage comporte tout une série de codes dont les profanes ne peuvent pas aisément deviner la signification.

13 h 45: on est à l'appartement de Marc et Pauline pour la scène 30 (Marc se masturbe). De nouveau un plan-séquence, de nouveau, un travail de précision. Il s'agit cette fois d'un travelling avant d'environ quatre mètres qui débute en plan large pour se terminer en très gros plan, à 45 cm de la feuille de papier qui est sur la machine à écrire et sur laquelle est écrit une phrase qu'on doit pouvoir lire. Autre beau défi de mise au foyer pour Pierre Pelletier.

On parle de reprendre la scène 25 sur l'estacade. On n'est pas encore tout à fait satisfait du travelling latéral et, tant qu'à faire, il serait plus beau de le faire par temps de pluie. François parle également de reprendre la scène 12 (la fameuse scène d'amour) pendant le prochain tournage d'été. On va y réfléchir. Y paraît, en tout cas, que le budget pourrait le permettre.

24 avril, tournage, jour 20

Nous reprenons en fin d'après-midi, à la brunante et sous une pluie fine, le travelling latéral de la scène 25.

19 h 30: nous sommes sur la rue Fabre (scène 29 c) près de la rue Laurier où Louis Craig et son équipe, les faiseurs de pluie, sont déjà installés. Nous sommes vraiment chanceux, la vraie pluie s'est chargée de mouiller toute la rue pour nous, il ne nous reste plus qu'à faire pleuvoir là où on veut et pour le temps qu'on veut. Les curieux observent avec étonnement tout ce monde qui parle, gesticule, donne des ordres, exécute des manœuvres, discute interminablement pour tourner finalement des petits bouts de quelques secondes.

Pendant un des essais de pluie, on a oublié d'avertir Luc Sauvé. Il est là, en train de prendre une photo, lorsqu'il reçoit une terrible douche froide. Tout le monde rigole sauf lui.

4 h 00: l'humidité a fait son œuvre. Nous sommes tous et toutes transis. Le tournage du printemps est terminé et un peu plus de la moitié du film est tourné.

Fin du 2ᵉ bloc de tournage

12 mai

Après avoir passé plusieurs heures dans la salle de montage avec François et Suzanne Bouilly à sélectionner les bonnes prises parmi le matériel tourné, j'ai tout de suite fait le montage de la scène 12. Nous voulons vérifier maintenant si on doit ou non la recommencer. Nous concluons que ça fonctionne, que ça marche, mais, comme dit François, c'est pas très fort. L'idée de vivre avec quelque chose dont nous ne sommes pas fiers n'est pas très réjouissante.

14 mai

Carle et moi nous rendons sur le pont Champlain afin de déterminer l'endroit exact d'où nous allons tourner un plan, non prévu au scénario (scène 53): une autre scène de jogging de Marc. L'estacade où le personnage court est parallèle au pont à quelques 300 mètres à l'ouest. Après avoir demandé avec insistance la permission de filmer du pont et se l'être vu refuser catégoriquement, nous avons décidé d'être délinquants. Nous allons tourner à la sauvette, sans avertir.

17 mai

On reprend les répétitions: l'avant-midi pour Louise et moi et l'après-midi pour Denis et Violaine.

19 mai

L'équipe arrive vers 10 h 30 au restaurant Île de France où Denis et Violaine sont déjà en train de travailler avec François. Après avoir regardé la répétition (scène 61) on part faire la tournée des autres lieux de tournage. Le nouvel appartement de Pauline (scène 63), celui de Jean-Pierre (scène 76), la cabine téléphonique (scène 70), la rue St-Vallier (scène 42) et un bout de la rue Laurier (scène 63 c).

20 mai

Réunion de production à 18 h. Tout le monde est là y compris Françoise Tessier qui passe d'apprentie scripte à stagiaire. Alain Dupras nous prévient que sa mère est gravement malade et qu'il se pourrait qu'il s'absente à quelques reprises. À sa suggestion, nous prenons contact avec Éric Cayla pour le remplacer le cas échéant.

3ᵉ BLOC DE TOURNAGE

25 mai, tournage, jour 21

Afin de compléter le découpage et de bien déterminer l'ordre de tournage des plans, Carle, Alain, François et moi partons en avance, à 5 h 30, vers le zoo de Granby pour le tournage de la scène 73.

Nous décidons de commencer par tourner la fin de la scène (73 g), quand Jean-Pierre hésite puis ne prend pas la photo de son fils. Nous désirons profiter de la tranquillité des lieux avant l'arrivée des visiteurs. Nous n'avions malheureusement pas prévu que, justement, les approvisionneurs en profitaient eux aussi pour aller nourrir les animaux et garnir tous les réfrigérateurs qui se trouvent sur le site. Il y a donc une ribambelle de camions qui se promènent partout et avec le bruit des moteurs de réfrigération en sus. Si bien qu'il y a un boucan du diable. Nous sommes même tombés sur la journée où on vide les fosses septiques. Nous sommes servis, côté bruit. On n'a pas vraiment le choix, mais on se rassure en se disant que la scène ne comporte pas de dialogue et qu'il sera toujours possible, au montage sonore, d'utiliser un autre son d'ambiance et de refaire le bruitage.

26 mai, tournage, jour 22

Nous tournons les scènes 43 à 45: Jean-Pierre arrive sur le coin avec la Jeune femme puis prend plusieurs photos. Le travail de tournage n'est pas encore bien rodé. Il se perd du temps et il règne une certaine confusion. Le dernier plan à filmer (qui sera le premier au montage) est tourné en catastrophe parce que des nuages s'approchent et que toute la scène a déjà été tournée en plein soleil.

Après la pause du dîner, on a un plan-séquence à tourner (scène 57) dans le métro, sans dialogue et avec une vingtaine de figurants et figurantes judicieusement repérés par Marquise Lepage; si bien que je mets du temps à m'apercevoir que ce ne sont pas des vrais usagers. Gabriel Arcand aussi, avec son veston et son porte document, a l'air d'un vrai! Nous disposons d'un wagon et nous devons installer notre éclairage (changer les néons et ajouter deux petits projecteurs), tourner le plan et remettre tout en place pendant la durée d'un trajet Henri-Bourassa, Côte-Vertu, Henri-Bourassa. Station Laurier: j'observe Pierre Provost, Denis Ménard dit Minou (électricien) et Philippe Palu s'activer avec précision et efficacité pendant que le métro roule, s'arrête et repart sans cesse. Station Lionel-Groulx: il y a le mouvement, mais il y a aussi le bruit qui n'a l'air de rien mais qui est terrible quand il s'agit d'y travailler. Station De la Savane: une fois l'éclairage installé, c'est au tour des figurants et figurantes à prendre place. Station Villa Maria: j'ai Laurent sur mes genoux et Gabriel est sur le banc voisin à ma gauche. Station George-Vanier: on commence à tourner. Station Square-Victoria: une deuxième prise. Station Berri-UQAM: une troisième. Station Mont-Royal: «Coupez!» C'est beau. On dégage, on laisse la place aux techniciens. Station Beaubien : il ne nous en reste que cinq pour tout remballer: la valse des fils, des projecteurs, des caches noires, des gélatines... «Terminus». Tout le monde prend une valise, une boîte, une lampe, et en quelques secondes on se retrouve sur le quai avec l'impression d'avoir été dans un épisode de «Mission impossible»!

27 mai, tournage, jour 23

On tourne la scène 52: Jean-Pierre va embrasser la Jeune femme sur le coin. On a de la chance, car au moment où on termine le deuxième et dernier plan, le soleil paraît derrière les nuages et change complètement l'éclairage.

Pour la scène 60, photo fixe: l'enfant dans l'arbre, c'est Nicolas, le fils de Carle, qui grimpe. François me fait remarquer qu'à cette distance (nous sommes de l'autre côté de la rue comme d'habitude) il pourra très bien être confondu avec Laurent. Et pourquoi pas? qu'on se dit. Voilà une autre petite idée qui s'ajoute au hasard du tournage.

Le tournage de la scène 69, la photo au miroir, se passe bien jusqu'au plan de la réplique (la seule) de la Jeune femme. Il faut en effet qu'elle la dise au moment précis où le camion aux miroirs passe derrière elle. Question de précision et de chronométrage qu'on finit par mettre au point seulement à la douzième prise après un cafouillage incompréhensible. C'est la première fois que je vois Carle s'impatienter.

Un chaud soleil de printemps nous caresse le visage et incite à la détente. Denis me parle de son projet de marathon de l'improvisation qui doit avoir lieu à la mi-juillet: cinquante heures d'improvisation sans interruption. Quelle folie! Eh bien! Denis, j'y serai, et puis, marathon pour marathon, on a de la parenté!

On se transporte, après le dîner, sur la rue Soisson à l'appartement de Marc, pour tourner la scène 58: Marc et Laurent dans le bain. Je devrais dire dans la mousse. Bien sûr qu'on a pris soin de trouver une mousse qui n'irrite pas les yeux. Mais on n'a pas pensé qu'avec de la mousse plein le visage, au moment où j'allais prendre une inspiration après quarante-cinq secondes sous l'eau, j'allais la respirer la foutue mousse. Juste le fait d'y penser, des mois plus tard, j'en ai encore le goût et l'irritation dans la gorge.

28 mai, tournage, jour 24

Début du plateau prévu à 5 h 15 afin d'avoir terminer à 15 h. Nous sommes au chic restaurant Île de France où Julie engueule Jean-Pierre (scène 61). On a plusieurs plans à tourner, mais, contrairement à ce qui se fait habituellement (en tout cas dans la tradition hollywoodienne), on ne tourne pas de «master», c'est-à-dire la scène en entier en plan large, pour ensuite la tourner en plans plus rapprochés et par segments plus ou moins longs; le tout retrouvant rythme et continuité au montage. D'ailleurs, comme dit Alain: «master of what?» Je suis tout à fait d'accord, mais j'avoue que je suis parfois inquiet à l'idée qu'il pourrait nous manquer des plans au montage.

Petite catastrophe: Karine Lepp n'avait pas prévu le gâteau que doit apporter le chef à la fin de la scène. Peut-être n'avons-nous pas été clair? Claude Cartier sera de nouveau l'homme de la situation. En moins de deux, il arrive avec deux magnifiques gâteaux. Toujours un deuxième, au cas où une autre catastrophe...

J'observe Denis travailler à chercher le ton juste: «Non, c'est pas ça, c'est encore trop agressif», se dit-il à lui-même. J'ai beaucoup d'admiration pour sa rigueur de travail et je ne peux m'empêcher de penser que la facilité avec laquelle il semble évoluer n'est certainement pas venue toute seule. Violaine aussi travaille fort. Elle engueule Denis depuis deux heures et est toujours prête à recommencer!

29 mai, tournage, jour 25

On a choisi, pour la scène 54 (Jean-Pierre abandonne son auto), une section de la rue Saint-Hubert où la voie est large et où on pourra manœuvrer en ne stoppant qu'une partie de la circulation. Et puis, à l'arrière-plan, le magasin de vieux meubles s'appelle «Les beaux débarras», comme un clin d'œil au merveilleux film de Francis Mankiewicz. Puis c'est André Melançon, le réalisateur, qui joue le conducteur baveux. Ensuite, François joue le rôle d'un passant; ça fait beaucoup de clins d'œil dans la même scène!!!

Mais finalement, le principal problème auquel il faut faire face n'est pas la circulation des automobiles, mais bien celle des nuages, qu'à défaut de pouvoir contrôler, il faut attendre. Quelqu'un, en arrivant sur le plateau ce matin et en levant les yeux au ciel, a dit: «Aujourd'hui, il va falloir se battre contre le soleil ou contre les nuages!»

1er juin, tournage, jour 26

Le début de la scène 72 a) se tourne à l'intérieur d'un commerce (qui se trouve juste en face de notre coin de rue) où il y a un bricà-brac, un fouillis indescriptible. On aurait voulu construire nous-même un tel décor que premièrement c'aurait coûté une fortune et deuxièmement on nous aurait dit que c'était exagéré. Une fois de plus la réalité dépasse la fiction.

14 h 15: nous sommes prêts à tourner à l'extérieur le dernier plan, celui de la gifle, mais le soleil vient de se cacher derrière des nuages. En attendant qu'il revienne, nous décidons de tourner tout de suite ce qu'on devait faire plus tard et revenir ensuite terminer la scène. Nous nous retrouvons donc dans un autobus et dans la même continuité par rapport au scénario, c'est-à-dire tout de suite après la gifle. On doit sentir que Jean-Pierre est profondément troublé, que quelque chose vient de se briser en lui. Ce geste, la gifle, le frappe (sic) comme une révélation; son désengagement, son irresponsabilité, toute sa façon de vivre au fond n'a pas de sens et ne peut se poursuivre ainsi. Une goutte vient de faire déborder le vase. Or, la scène de la gifle n'est pas encore tournée. Je sais

bien que c'est là précisément le genre de difficulté inhérante au travail d'acteur de cinéma, mais je suis certain qu'il serait tellement plus efficace et plus fort de la tourner après, juste après. Je me dis qu'il faudra encore faire des efforts et se battre pour que de telles décisions ne se prennent plus.

Denis s'en est bien tiré. Mais après le tournage de la gifle, il m'a dit: «Si je pouvais refaire le plan dans l'autobus, je le referais différemment.» Je te comprends Denis, et je persiste à penser qu'un raccord de lumière entre deux plans est infiniment moins important que l'intensité d'une émotion. Je pense aux «pofs» de vent dans le micro de *L'ami de mon amie.*

Ironie du sort, la scène dans l'autobus n'a pas été conservée au montage. Ce n'est pas pour des raisons de jeu, mais parce que l'émotion était déjà suffisamment présente dans la scène de la gifle et qu'il y avait alors redondance.

Donc après le plan dans l'autobus, on revient sur le coin. Comme il n'y a toujours pas de soleil, on installe finalement une puissante lampe (12 K) et «Action» on tourne. Le petit Laurent avait bien compris qu'il s'agissait de jouer et que le jeu n'est pas la réalité, mais il a été tout de même surpris par la gifle, même petite, de Denis, comme nous tous et toutes d'ailleurs. Tout le monde a applaudi, il a reçu des cadeaux et quelques minutes plus tard ça semblait pour lui un mauvais souvenir. Par contre, François est bouleversé. Je sais qu'il s'en veut de ne pas avoir insisté pour que la scène soit tournée différemment, truquée à la méthode western et reconstituée au montage. J'essaie de mon côté de me faire une idée claire. Je me dis que la souffrance physique et même psychique et morale est une chose que les acteurs et les actrices doivent, ou du moins, acceptent souvent de vivre dans l'exercice de leur métier. Je crois donc que la question, par rapport à Laurent, est de savoir s'il était en mesure de bien comprendre que le geste n'était pas mal intentionné mais faisait partie d'un «jeu» qui incluait de la souffrance. Il me semble que oui, et François me le confirme. Bien sûr que Laurent n'avait pas les mêmes outils qu'un adulte pour choisir lui-même et consentir que la scène soit tournée comme elle l'a été plutôt qu'autrement, mais je crois finalement que la décision qui a été prise fut la bonne.

2 juin, tournage, jour 27

Aujourd'hui on commence en fin d'après-midi par la scène 56: Marc, à la garderie, afin de tourner ensuite la scène 47: Marc aide Jean-Pierre à déménager, dès la nuit tombée. Autre plan-séquence où on utilise, cette fois, une petite grue. C'est Éric Cayla qui remplace Alain Dupras parce que sa mère est mourante et qu'il est resté à son chevet.

Une petite question insidieuse vient effleurer nos préoccupations d'auteurs : Est-ce que le film n'est pas en train de devenir davantage l'histoire de Jean-Pierre plutôt que celle de Marc-et-Jean-Pierre? Est-ce que le cheminement de Marc, vers son enfermement, vers sa «folie», est suffisamment exprimé? Autant de questions qui nous rappellent qu'un film est une matière vivante qui continue de grouiller jusqu'à la copie zéro.

3 juin, tournage, jour 28

Après seulement trois semaines de maladie, la mère d'Alain est morte, hier. Alain nous a fait savoir qu'il allait tout de même venir sur le plateau pour ne pas rester seul à la maison à «ruminer».

15 h: nous sommes au dix-huitième étage d'une tour d'habitation pour tourner la scène 62: dans son sommeil, Jean-Pierre fait sa déclaration d'amour à une parfaite inconnue. Une autre «scène d'amour» où le silence et le respect sont de rigueur. Drôle de respect, ils sont huit personnes autour du lit dans une toute petite chambre!

On se rend, à la brunante, sur la rue Tanguay dans le quartier Ahuntsic pour tourner la scène 74: Jean-Pierre montre à Laurent à faire des boucles. Ils sont dans un taxi et tout se passe bien. La nuit est calme et paisible. Tout à coup, l'étincelle se produit, un petit détail magique s'ajoute à ce qui avait été planifié: Laurent, au lieu de dire «on tire» en parlant des lacets qu'il apprend à nouer, a dit «on l'égorge». Par rapport à la fin du film, ça fait l'effet d'un incroyable lapsus prémonitoire!

4 juin, tournage, jour 29

En début d'après-midi, on commence en petite équipe, par le tournage de Marc qui court sur l'estacade (scène 68). Cette fois on veut voir le personnage, en plan large et de plain-pied, courir vers la caméra. En utilisant un objectif à très longue focale (600 mm) on veut donner l'impression qu'il court sur place. Le téléobjectif donne en effet l'impression que la perspective est aplatie et que le personnage est accolé à l'arrière-plan et n'avance pas. Nous voulons d'ailleurs utiliser cette image juste après un gros plan du visage de Marc, à l'envers (il fait de l'inversion) et suggérer, en passant du gros plan à celui de la course en fondu enchaîné, l'idée qu'il court dans sa tête. C'est samedi et l'estacade sert de piste cyclable. Comme nous voulons que Marc soit seul dans le cadrage, nous devons arrêter la circulation. Mais les «walkie-talkie» ne fonctionnent pas et nous perdons un temps fou à attendre que Carle se rende à l'autre extrémité de l'estacade qui fait deux kilomètres pour retenir les cyclistes qui veulent traverser.

Lucille Demers passe plus d'une heure à maquiller Denis pour le plan du pendu (scène 78). Le résultat est terrifiant. Karine Lepp, de son côté, s'active à mettre au point le système d'accrochage de sorte que le pendu ne tourne pas sur lui même. C'est que le câble, une fois tendu, a tendance à se détordre et donne un mal fou à Denis qui doit tenir les yeux ouverts et fixes. Tout à coup, pendant une prise, un pigeon passe sur le balcon, dans le champ de la caméra, comme un ange!

Dès que les feux d'artifices sont commencés, vers 21 h 30, nous tournons le plan de Jean-Pierre seul devant la ville (scène 76). Cette fois, la difficulté est de se faire des repères très précis afin de reprendre le même cadrage avec Marc devant sa fenêtre (ce dernier plan a été rejeté au montage: redondance!)

Nous nous rendons ensuite dans le bas de la ville pour tourner la scène 70: Jean-Pierre, dans une cabine téléphonique, parle au répondeur de Julie. François a eu l'idée de mettre Laurent endormi dans ses bras. Or il est minuit et on vient de le réveiller. Il n'est pas de bonne humeur et il refuse catégoriquement de jouer. Marquise Lepage et François passent une vingtaine de minutes à le convaincre.

5 juin, tournage, jour 30

Une fois de plus nous voilà dans un appartement en train d'obstruer toutes les fenêtres pour faire la nuit en plein jour. Évidemment, dehors il fait un temps superbe. Il est 16 h, on tourne dans ce qui est convenu d'être le nouveau logement qu'habite Pauline, Marc vient l'aider à peinturer. Ce sont les scènes 63 a) et b) qui finissent par un dialogue de sourds d'anciens amants fraîchement séparés, au-dessus d'un reste de pizza. Une menace de postsynchronisation pèse sur nous à cause des bruits de ventilation qu'on ne peut pas arrêter.

Juste avant d'aller manger, on finit par convaincre Jean Brien de venir d'urgence sur le plateau afin de régler un conflit syndical. C'est un prétexte pour le faire venir et célébrer son anniversaire. On en profite pour fêter également Karine Lepp dont ce sera l'anniversaire dans deux jours alors qu'on sera en congé. Le fait de tourner sur une si longue période multiplie les occasions de fête. Presque tout le monde y sera passé.

La journée et la semaine de tournage se terminent par la scène 63 c): Marc donne un coup de pied dans une poubelle, puis se met à courir. En plan-séquence, cela donne un travelling d'une cinquantaine de mètres qui a la particularité de se faire au pas de course. C'est l'occasion de constater l'excellente forme physique des machinistes qui doivent, en courant, tirer le dolly sur lequel se trouvent la caméra, le caméraman et son assistant.

8 juin, tournage, jour 31

On se retrouve dans l'appartement de Marc rue Soisson pour plusieurs petits plans-séquences. Je dis petits parce qu'ils sont courts, pas nécessairement faciles. La journée commence dans le cafouillage. On n'avait pas prévu que c'était aujourd'hui qu'on avait besoin d'une caméra à vitesse variable afin d'éliminer les balayages vidéo sur l'écran cathodique de l'ordinateur de Marc. Il faut attendre qu'on l'apporte. Il faut attendre également qu'on inscrive les dates au bas des photos qui couvrent les murs; une lacune qu'on a constatée au moment où on était fin prêt à tourner. Tout ça pour une scène qui a été supprimée au montage.

9 juin, tournage, jour 32

Nous sommes toujours chez Marc et nous reprenons la scène qu'on avait tournée en hiver et qui n'est pas très bonne. Au lieu de se passer dans la chambre, la scène 7: Pauline rentre quand Marc va sortir, se passe maintenant en haut de l'escalier d'entrée. C'est nettement mieux, plus court et plus efficace.

Sur l'heure du repas, François et moi allons choisir le cadre de la photo au miroir (scène 69) qu'on va tirer de la copie de travail déjà tournée. La photo servira d'accessoire et sera sur la table de travail de Marc lorsque Jean-Pierre viendra lui porter ses dernières photos à la fin du film (scène 75).

10 juin, tournage, jour 33

On prend le repas du midi dehors au soleil. Il est payé par la production et permet ainsi de gagner du temps. Nous désirons finir plus tôt pour pouvoir commencer plus tôt le lendemain matin. C'est qu'il doit y avoir un minimum de douze heures de repos entre la fin d'une journée de travail et le début de la suivante. On en profite pour fêter Laurent qui a terminé son travail d'acteur et on lui offre un magnifique perroquet dont il s'engage à prendre soin (!?).

On n'a malheureusement pas eu le temps de compléter les plans importants avec Denis avant le repas. Si bien qu'après, il a de la difficulté à retrouver l'émotion. Il y a en effet une relation d'exclusion radicale entre les émotions et un estomac plein.

11 juin, tournage, jour 34

Nous reprenons la dernière scène du film (scène 79). Elle avait été tournée la journée du marathon, mais à cause de certaines erreurs on avait décidé de la refaire. Entre-temps on a eu l'idée de mouiller le pavé pour un meilleur effet de lumière et d'ajouter dans le plan un tracteur muni d'une pelle mécanique qui enlève la souche de l'arbre coupé. Mais comme ça fait déjà plusieurs fois qu'on projette de tourner cette scène et qu'on reporte pour des raisons de température, au bureau Danielle s'arrache les cheveux. Réserve le tracteur et le conducteur, réserve un autobus avec chauffeur, puis annule, puis recommence deux jours plus tard.

C'est la dernière journée de travail pour Nathalie. Les séparations de fin de tournage s'amorcent.

On a aussi décidé de tourner un plan supplémentaire de Jean-Pierre qui prend Laurent dans ses bras après l'avoir giflé (scène 72 b). Pour être sûr de bien le faire raccorder avec le plan déjà tourné, nous avons recours à des photos tirées du plan en question ainsi qu'une copie vidéo. Cela sert aussi à Denis pour la gestuelle et l'émotion. Cette fois c'est vraiment la dernière scène de tournage pour Laurent. On l'applaudit. Il semble heureux et je me dis que c'est sans doute une expérience qui le marquera pour longtemps et pour le mieux, j'espère.

Et nous reprenons la fameuse scène 12, Jean-Pierre et Julie au lit. On se retrouve dans la même pièce que lors du premier tournage, mais au lieu d'être sur le divan, ils sont dans le lit. Je remarque que la seule lumière utilisée est celle qui entre par la fenêtre et qui est réfléchie par des panneaux blancs. Ça produit une très belle ambiance douce de petit matin. Quand je compare avec la quantité de lumière artificielle qu'Alain Dupras utilisait au début du tournage, je ne peux m'empêcher de constater le chemin parcouru tout au long du tournage. Le fait d'avoir étalé celui-ci sur presqu'un an est évidemment un élément important de ce processus... je dirais de mûrissement. Je suis persuadé que le film y a gagné. C'est alors qu'on peut parler du temps «favorable à la réalisation» alors que, bien sûr, c'était un casse-tête supplémentaire pour la production.

18 h 09: dernier plan de la journée, première prise.

18 h 12: 2e prise, coupée avant le mot «action».

18 h 14: 3e prise, coupée à cause d'un manque de pellicule dans le magasin de la caméra; dans le métier, ils disent un «run out».

18 h 20: 4e prise, coupée parce qu'un avion passe et fait du bruit.

18 h 21: 5e prise, c'est bon, mais ça peut être mieux.

18 h 22: 6e prise, manque de pellicule, c'est qu'on utilise des restants de bobines parce qu'on est à la fin du tournage!

18 h 27: 7e prise.

18 h 32: 8e prise, c'est très bon. Ça y est c'est terminé. Il ne reste qu'à tout remballer.

14 juin, tournage, jour 35

Il fait soleil, il fait chaud nous sommes en pleine campagne, à trois heures de route de Montréal et il n'y a pas de moustique. C'est le bonheur. Comme on va tourner de nuit et ne commencer que vers 19 h, on passe la journée à se baigner, prendre du soleil et manger. Denis et moi, par ailleurs, commençons à répéter le texte et à «se mettre dedans» vers 11 h.

Le chalet dans lequel on tourne est tout petit (scène 64 c). Les équipes se relaient. Première vague: les électriciens-éclairagistes, les machinistes, les décors et accessoires. Deuxième vague: le son, la caméra, les costumes et maquillage avec les deux acteurs évidemment. Après chaque plan tourné, ça recommence.

On termine à 3 h. Il fait suffisamment chaud pour être à l'aise en T-shirt. C'est le moment de fêter, encore! Deux autres anniversaires, celui d'Éric Cayla et le mien. C'est vraiment un moment privilégié, cette lassitude après l'effort et cette convivialité partagée dans un endroit merveilleux de luxuriance et de tranquillité.

15 juin, tournage, jours 36 et 37

Ce que nous avons à tourner aujourd'hui est moins difficile et moins exigeant pour Denis et moi. Je profite donc de la journée de soleil et de l'eau limpide du lac avec le reste de l'équipe.

On se met en branle à 16 h pour tourner les plans de Jean-Pierre endormi dans l'auto (scène 66 c). Vers 18 h, on revient au chalet pour tourner à l'intérieur, le réveil de Marc et Jean-Pierre (scène 65) en se servant de la brunante comme petit matin.

Après avoir soupé en vitesse, nous retournons là où on a filmé Jean-Pierre endormi pour tourner l'arrivée de la voiture (scène 66 a). Il est près de 20 h 30 et c'est maintenant le crépuscule foncé. Ça ressemblera, nous affirme Alain Dupras, au très petit matin. On se hâte ensuite d'aller tourner un peu plus loin un plan de l'auto qui roule, quelque part entre le chalet et l'endroit où il va s'arrêter pour dormir. Il commence à faire sérieusement nuit. On s'active. Alain dit: «Dépêchez-vous, y aura plus rien sur le négatif si on ne tourne pas tout de suite, on est ouvert à 1.3.» Il consulte sans arrêt son posemètre. Pierre Pelletier dit à Esther Valiquette, son assistante: «T'aurais pas une clé anglaise pour essayer d'ouvrir encore un peu le diaphragme!» (Finalement le plan en question, où l'auto s'éloigne de la caméra et traverse un petit pont, est effectivement trop sombre pour se raccorder à la scène du matin. Au montage, le plan sera finalement placé juste avant la séquence de la campagne (scène 64 a), comme si l'auto s'en allait vers le chalet).

On revient au chalet où les éclairagistes et électriciens ont déjà commencé à installer l'éclairage pour tourner la partie de la scène qui se passe sur le quai (scène 64 d) après l'engueulade du chalet. Ils ont, entre autres, transporté en chaloupe, de l'autre côté de la baie, une génératrice et un gros projecteur qu'ils s'affairent à placer sur des échafaudages.

Au moment d'être prêt à tourner, on décide d'enlever les pitounes qui flottent autour du quai. Puis, après la première prise, on décide, pour obtenir un meilleur effet, de faire des vagues. C'est alors que la machine s'enraye et que toute la manœuvre devient carrément loufoque. Claude Cartier part avec une chaloupe à moteur et tombe en panne. Karine Lepp s'y met à son tour et tombe en panne elle aussi. Alors qu'on est une vingtaine à observer les fameuses vagues qui ondulent lentement, on doit attendre que Karine et Claude, à la rame, se retirent lentement du champ de la caméra. Tout le monde se met finalement à rire jusqu'aux larmes.

On termine vers 1 h 45. On se rassemble au bout du quai et Luc Sauvé fait la photo d'équipe sous le jet d'un dernier projecteur qu'on n'a pas encore éteint. C'est l'heure de la détente et des échanges joyeux autour d'un verre. La nuit est calme et douce et le sommeil, réparateur et profond.

Fin du 3ᵉ bloc de tournage

18 juin

Le party de production. Les filles sont chics et les gars sont souriants. Alain vit soudainement la peine du deuil de sa mère qu'il avait contenue jusque-là. Tout le monde a l'air heureux d'avoir été de l'aventure. Je me dis qu'il y a des gens que j'espère retrouver à l'occasion d'autres tournages. Danielle Charlebois n'est pas là, mais, de l'initiative même de l'équipe, on lui offre un magnifique sac en cuir pour lui dire qu'on a apprécié son travail.

La soirée s'achève un peu en queue de poisson. Nous devons en effet interrompre la musique et la danse vers 0 h 30 suite à une visite de deux policiers qui ont reçu une plainte des voisins. Nous sommes sur une terrasse de restaurant et ne savions pas qu'il fallait une autorisation pour dépasser 23 h. Décidément, c'est comme les vagues sur le lac, autant en rire!

30 juillet, tournage (délinquant), jour 38

4 h 30: nous avons rendez-vous sur l'estacade. Il fait chaud. On réveille le gardien et, après les préparatifs de la caméra qu'on installe dans la camionnette, on attend tranquillement que le soleil se lève. Ce qu'il fait, mais dans les nuages. Faut attendre encore un peu qu'il en sorte.

6 h 10: les rayons orangés du soleil filtrent doucement à travers les restes de nuages qui s'étirent. Nous y allons. La camionnette s'avance sur le pont. Je suis déjà en place sur l'estacade en compagnie de Claude Cartier qui est en contact avec l'équipe caméra au moyen d'un «walkie-talkie». Le véhicule s'arrête finalement à l'endroit prévu. On ouvre la portière latérale, on met de niveau la caméra, on règle l'ouverture et le foyer et Claude me donne le signal d'y aller. En moins d'une minute et demie, le temps de faire deux prises, une auto de police, les giro-phares en action, s'amène derrière la camionnette et fait signe de circuler. On en sera quitte pour une contravention.

1er août, tournage, jour 38

On a décidé de tourner un plan à ajouter à la scène 9 (la patinoire) où on voit Marc et Jean-Pierre se dire ce qu'on avait prévu n'entendre qu'en hors-champ. Il fait 30 °C à l'extérieur et, vêtus de nos gilets de laine, tuque et mitaines, nous tâchons de nous retrouver un certain soir de janvier, après un après-midi de patinage, dans la cabane des patineurs, à parler de nos amours et du projet photos-écriture...

Le tournage est vraiment terminé: 38 jours et demie, 278 plans en 1 078 prises, 47 590 pieds de pellicule développée et tirée sur 86 170 pieds de pellicule exposée, et 127 bobines de 1 200 pieds de ruban magnétique utilisé.

Cela se termine vers 14 h par un magnifique repas qu'on partage au beau milieu du parc Lafontaine. On en profite également pour fêter Carle dont c'est l'anniversaire. Le champagne et le plaisir coulent à flots. Ce coup-là, c'est vraiment la dernière fois qu'on est ensemble avant... la Première!

Jean Beaudry

PROPOS ET ENTRETIENS

recueillis par Marcel Jean[*]

---

* À l'exception du texte «Les lundis matins fidèles» rédigé par Marquise Lepage.

Les lundis matins fidèles...

Ma collaboration sur *Les Matins infidèles* fut très modeste: j'ai coordonné le casting et la figuration, je me suis occupée du petit Laurent (le fils de Jean-Pierre dans le film, celui de François dans la vie) lorsqu'il tournait et j'ai assisté Carle (le premier assistant) les journées où il y avait trop de boulot. Ce fut un réel bonheur de travailler avec Carle, avec qui j'ai eu pratiquement plus de contacts durant le tournage qu'avec Jean et François.

C'est tellement important de travailler avec des gens charmants; cela ajoute une dimension essentielle, à mon avis, pour aimer ce métier. Je connais Jean et François depuis 1982. Avec Marcel Simard, ils ont été les premières personnes charmantes avec qui j'ai travaillé au cinéma. C'était sur *Jacques et Novembre*: épopée essouflante menée par une poignée de personnes et qui donna, à plus d'un, une leçon de solidarité et de cinéma.

C'est aussi grâce à la confiance, à la complicité et au travail de ces personnes que mon premier film, *Marie s'en va-t-en ville*, existe; grâce principalement à François qui a produit le film et a collaboré à l'écriture. Avec ces personnes, l'entente au travail était telle que nos relations ont débordé sur le privé: nous sommes devenus amis, puis François et moi sommes devenus un couple. Jean et François, eux, se connaissaient depuis longtemps et ils étaient déjà, d'une certaine façon, un couple, un vieux couple même, avec ses complicités et ses habitudes. Si je ne m'en étais pas trop rendu compte sur *Jacques et Novembre*, sur *Les Matins infidèles*, c'était plus perceptible. Il existait une sorte de tension comme celle qu'on retrouve chez les vieux couples qui ont oublié de se parler depuis un certain temps. Heureusement qu'il existait aussi suffisamment de complémentarité pour affronter toute la pression que signifie un tournage. Pour mieux fonctionner, ils se sont séparés les tâches et ont fait, du mieux qu'ils pouvaient, leur boulot respectif. Ils ont dû quand même, j'imagine, ravaler chacun leur tour les frustations qu'impliquaient les limites qu'ils s'étaient eux-même imposées.

Malgré ces problèmes inhérents à la co-paternité du film, le résultat est cohérent et en continuité avec *Jacques et Novembre*. Une histoire de gars, d'amitié et d'amour déçues. C'est une histoire sans soleil et sans beaucoup d'espoir, mais c'est une vision, somme toute, assez poétique et un portrait pas trop complaisant de certains hommes et de leur inaptitude au bonheur.

J'aime assez cette histoire, mais il ne faut pas oublier que c'est aussi une histoire qui, par instants, se confond avec la leur et donc un peu avec la mienne. Difficile dans ces conditions d'avoir beaucoup de recul. Difficile aussi d'oublier, en écrivant ces lignes, qu'au début du tournage il y avait deux couples et qu'à la fin, tout comme dans le film, il y en avait plus aucun...

Tout comme dans le film, chacun essaie de reconquérir son individualité, mais on continue et on continuera, longtemps je pense, à aimer travailler ensemble parce qu'on a une vision du monde qui se ressemble et qu'on a la chance de partager avec des gens extraordinaires comme Danielle Charlebois, Jean Brien et des collaborateurs réguliers (Marcel Simard, Claude Cartier, Carle Delaroche-Vernet, Catherine Thabourin, etc.) un grand amour du cinéma et surtout d'une certaine forme de cinéma qui continue de nous unir et qui palie à l'infidélité de certains hommes et de certains matins...

Marquise Lepage

CLAUDE BEAUGRAND — PRENEUR DE SON ET MONTEUR SONORE

Claude Beaugrand est preneur de son depuis le début des années 70. Il a collaboré avec Jean Chabot (*Une nuit en Amérique, Voyage en Amérique avec un cheval emprunté, Une nuit avec Hortense*) et Fernand Bélanger (*De la tourbe et du restant, Passiflora*), ainsi qu'avec Michel Brault et André Gladu sur la série *Le Son des Français d'Amérique*. Spécialiste du documentaire, il a aussi travaillé à plusieurs films de fiction, dont *Vie d'ange* de Pierre Harel et *Trois pommes à côté du sommeil* de Jacques Leduc.

«Il y a deux aspects à mon métier. D'abord, la prise de son, qui consiste à trouver et à cueillir les sons nécessaires au film. Ensuite, le montage sonore, qui consiste à construire l'ambiance et le déroulement sonore d'un film. Sur ce plan, je me considère comme un ouvrier, je monte une charpente sonore: il faut choisir les bons morceaux, les tailler, les polir, voir comment ils vont s'ajuster les uns aux autres pour finir par former un tout avec l'image.

«Lorsque tu commences à faire le montage sonore, tu réalises que le film est loin d'être terminé. Tu constates qu'un son placé judicieusement peut éliminer deux plans ou justifier qu'on en rallonge un autre. Le son vient modifier les choses. Il permet de changer le récit, le scénario, l'ordre des choses. C'est pourquoi la possibilité de créer, lorsqu'on arrive à cette étape, est encore très grande.

«Dès nos premières discussions au sujet des Matins infidèles, Jean et François voulaient du son direct, c'est-à-dire qu'ils voulaient qu'on utilise le plus possible le son enregistré au moment du tournage pour que la postsynchronisation soit réduite au minimum. À cause de ce parti-pris, je n'avais pas à me battre pour que l'on travaille en fonction du son. Le plateau était donc très silencieux. La prise de son était d'autant plus simple que l'imagerie était dépouillée et qu'il n'y avait pas beaucoup d'événements et de personnages. Et je pouvais aussi compter sur l'expérience d'Esther ainsi que sur sa passion du cinéma. J'étais donc très à l'aise au tournage.

«Le montage sonore a été plus laborieux. Car, si au tournage il y avait un seul metteur en scène, au montage sonore il y en avait deux et, à plusieurs reprises, ils se contredisaient. C'était sur de petites choses, souvent sur un son que l'un aimait et l'autre pas, mais c'était suffisant pour rendre la situation difficile parce que l'écoute est relative: "L'important ce ne sont pas les sons tels qu'ils sont réalisés, mais tels qu'ils sont intentionnés" (Henry Pousseur). Une semaine avant le mixage, il a fallu résoudre cela. Ils ont alors décidé que François allait prendre les décisions et les assumer.

«La situation était d'autant plus difficile que Jean Beaudry avait coscénarisé, coréalisé, interprété et monté le film. Or, je crois qu'il faut une expérience énorme pour arriver à faire tout cela. Placé dans une telle situation, il faut beaucoup de recul pour maîtriser l'ensemble. Aujourd'hui, je continue à penser que lorsque Jean maintient qu'une émotion précise se trouve dans un plan parce qu'il l'a joué de telle façon, il voit parfois des choses qui n'y sont pas. Alors, comme Jean et François privilégient la subtilité, comme ils craignent constamment de trop souligner, tu ne peux qu'espérer que l'émotion soit là où ils prétendent qu'elle est. Il t'est impossible de l'accentuer par un effet sonore.

«Au tournage, ils étaient très préparés et avaient longuement mûri leur scénario. C'est bien, mais le tournage n'est pas que le scénario! Au montage sonore, il était difficile de leur faire accepter que leur plan puisse contenir quelque chose qui n'était pas dans le scénario. Or, pour moi, un film, un scénario, c'est vivant et ça doit continuer à vivre tant que tu y travailles. Ça bouge, ça change, ça se cache et disparaît, puis quand ça revient, c'est différent, ça ressemble à autre chose!!! On en fait une nouvelle lecture et tranquillement se départage ce qui était véritablement inscrit dans le scénario de ce qui ne l'était pas. Et l'on se rend compte que ce qui s'est fixé, cristallisé sur l'écran, c'est le scénario "déplacé"! La partie cachée du même récit révélée par le montage! Un film en cours de montage est souvent la chose la plus éloignée du rêve qu'on en avait. Tout le travail consiste à réduire le plus possible la partie qui sépare le film (qu'on a) du rêve qu'on en avait! Je crois que nous avons une conception différente de cela.

«Je peux dire que c'est un bon film, que c'est sans doute le film qu'ils voulaient, mais que ce n'est pas le film que je pensais que cela serait. De mon point de vue la matière permettait plus: plus de jeu, plus de création sonore, plus d'expériences, avec le texte en "off", l'écriture du roman, l'arrêt sur l'image et le temps qui passe par le son.

«Il faut comprendre que lorsque j'aborde le montage sonore, je me dis qu'on exige beaucoup de moi et que je devrai en faire beaucoup. Alors, lorsqu'il reste peu de création sonore à la fin du travail, je suis dans une position où je me demande si c'est moi qui n'ai pas réussi ou si c'est le réalisateur qui ne m'en demandait pas tant. Il y a plusieurs façons de faire les choses. On peut d'abord faire un film où tous les sons sont au "bon endroit", le mode "clean", qui va donner un film où le son y est sans y être. On peut aussi faire un film en mettant le synchronisme de côté, procéder par vagues, par correspondances, par substitutions. On peut faire du son comme on fait de la musique, de la poésie. Il se peut que tous les pas d'un film ne mènent nulle part et que le bruit d'un train au loin nous ramène à nous-mêmes. Et tous les films se prêtent à un travail poussé du son. Il n'y a pas de film qui refuse ce mode d'écriture. En soi, il n'y a que des gens qui en ont peur!

«En repensant à tout cela, je peux dire que je travaillerais de nouveau avec eux tout de suite. Avec n'importe lequel des deux, mais pas avec les deux ensemble.»

DENIS BOUCHARD — ACTEUR

Denis Bouchard vient du théâtre. Bien connu pour sa participation à la Ligue nationale d'improvisation, il a aussi travaillé pour la télévision, entre autres dans *Lance et compte*. Au cinéma, on l'a vu dans des films comme *Le Château de cartes* de François Labonté, *L'Homme de papier* de Jacques Giraldeau et *Jésus de Montréal* de Denys Arcand.

«Pour moi, la première responsabilité de l'acteur est de faire vivre une émotion de façon à ce qu'elle puisse s'exprimer sur la pellicule. En fait, il faut, en arrivant sur le plateau, mettre en mémoire ce qui s'est fait avant (les répétitions, les discussions, etc.). L'émotion doit être puisée dans le présent, il faut que l'acteur ressente une émotion plutôt que de transmettre une intention.

«Le projet des Matins infidèles m'a été présenté de façon singulière dans la mesure où le tournage, qui allait durer presque un an, s'éloignait considérablement des cinq semaines habituelles. On m'avait parlé d'une équipe réduite, mais ce qui m'a surtout allumé, à part le personnage, c'était la possibilité de travailler en profondeur grâce aux répétitions. Quinze jours pour répéter, je n'avais jamais vécu ça au cinéma. On allait prendre le temps de travailler. Bien sûr, je savais que cela ne garantissait pas nécessairement un bon produit. Mais, de toute façon, ce film ne m'apparaissait pas faisable rapidement. Ne serait-ce que parce que Jean et François avaient vécu longtemps avec le projet et qu'ils en étaient les auteurs et les réalisateurs.

«Travailler de cette façon a l'avantage de te laisser le temps de poser des questions, alors tu peux savoir, par exemple, pourquoi tel plan est tourné avec une lentille 50 mm et ajuster ton jeu en conséquence. Ils sont de la race des réalisateurs qui, comme Arcand, n'ont pas peur des acteurs, de leur vision des choses et de ce qu'ils peuvent apporter.

«Sur le plateau des Matins infidèles, j'ai pu me permettre de demander une prise supplémentaire du plan que l'on tournait parce que je voulais varier mon jeu ou essayer quelque chose. Quant à savoir s'ils garderont ces prises au montage, c'est autre chose, mais l'important était d'aller au bout. C'est une question de confiance mutuelle. Il y a des scènes, j'en suis sûr, qui en ont largement bénéficié. Plusieurs scènes n'étaient pas simples à jouer sur ce tournage: trois scènes d'amour avec le même texte mais avec trois actrices différentes, par exemple. Or, j'ai fait des choses beaucoup moins difficiles sur d'autres tournages et qui m'ont demandé beaucoup plus d'effort. Travailler deux ou trois heures de moins par jour qu'à l'accoutumé, ça parait au bout d'une semaine parce que ça fait quinze heures de moins. On reste frais et dispos et c'est ce qui compte durant le tournage.

«Autre aspect important: à cause du déroulement des saisons, on a presque tourné ce film dans l'ordre du scénario. Bien sûr, avec le temps, depuis le début de ma carrière, je me suis habitué à tourner dans le désordre. Mais, il s'agit de tourner en ordre chronologique une seule fois pour se rendre compte de l'aisance qui en découle.

«Pendant les pauses, entre les blocs de tournage, ma façon de voir le personnage changeait. Le personnage s'est transformé, a vieilli un peu tout au long du tournage.

«Émotivement, ce n'est pas un problème de tourner sur un an en quatre blocs. C'est sûr que ce n'est pas idéal de jouer le jour au cinéma et le soir au théâtre, mais c'est faisable. Même si je rêve d'en arriver à ne faire qu'une chose à la fois.

«Travailler avec un acteur qui était aussi le coauteur et le coréalisateur, c'était une situation qui aurait pu être conflictuelle. Mais cela ne l'a pas été. D'une part parce que le film est binaire: mon personnage d'un côté, celui de Jean de l'autre. D'autre part et surtout parce qu'on s'entendait très bien sur le personnage que j'avais à jouer. À l'audition, j'ai proposé une vision personnelle du rôle, j'ai exposé ce que celui-ci m'inspirait en espérant que cette conception du personnage plairait aux réalisateurs. Vraisemblablement, ce fut le cas.»

ANDRÉE BOUVIER — ASSISTANTE DE PRODUCTION

Les Matins infidèles était le premier plateau d'Andrée Bouvier. Elle a d'abord commencé par travailler au bureau des Productions du lundi matin, avant de participer à la préparation des décors du film au moment de la pré-production. Sur le tournage, elle était assistante de production.

«À partir des instructions du régisseur, l'assistant de production gère ce qui se passe autour du plateau: si on tourne dans la rue et qu'on ne veut pas de passant, c'est lui qui bloque le passage. C'est aussi lui qui s'occupe des besoins terre à terre du plateau. Dans mon cas, pour *Les Matins infidèles*, je devais m'occuper du "craft", c'est-à-dire du buffet qui est installé en permanence sur le plateau. Lorsqu'une journée est finie, l'assistant de production s'occupe de celle du lendemain, il fait les courses ou pose les enseignes de stationnement interdit qui nous permettront de tourner dans une rue, par exemple.

«Comme je suis la sœur de François, mon cas est assez particulier. C'est donc moi, sans que je me souvienne très bien quand et comment, qui ai demandé à travailler. Mais je ne voulais pas avoir un rapport familial avec François, je ne voulais pas que les autres pensent que j'en profitais. Je m'arrangeais donc pour le voir uniquement comme réalisateur.

«À la première réunion de production, Jean et François insistaient sur le fait qu'une petite équipe peut permettre de trouver un climat et une qualité d'émotion difficiles à obtenir lorsqu'il y a trop de monde. Cette idée me plaisait parce que je n'embarquais pas dans une grosse machine de production. C'était plus personnel et dans mon esprit, quand il y a plus de monde ça devient plus compliqué. C'était donc préférable de travailler ainsi. J'ai par la suite découvert que c'est un milieu épuisant physiquement et moralement. Je crois qu'en petite équipe ça se supporte mieux.

«J'étais aussi étonnée que cela coûte autant: 1,7 million. Je n'avais pas la notion des coûts. Je croyais qu'avec autant d'argent il y aurait une grosse machinerie et des effets spéciaux. Pour moi, avec autant d'argent, on allait pouvoir tourner pendant des mois. Ça m'étonnait qu'on me dise qu'il s'agissait d'un petit budget. Tu ne vois pas, lorsque tu observes un tournage de l'extérieur, comment le budget est réparti. Aujourd'hui je trouve normal que ça coûte tant.

«Comme j'avais travaillé sur les décors, j'étais préparée au tournage. Une fois sur le plateau, j'aimais bien savoir précisément quelle scène on faisait. De ce côté c'était parfait. Pour les plans, c'était autre chose. J'aurais aimé en savoir plus, bien connaître le cadre, etc.

«Mais, ce qui était bien, c'est que je me sentais comme faisant partie de l'équipe. Je trouvais d'ailleurs agréable que l'on m'invite aux rushes. Ça me donnait l'impression d'être dans le même bain que les autres et de participer à la création.

«On ne sentait pas la hiérarchie à l'intérieur de l'équipe. Il y avait plutôt un respect qui tenait plus aux personnes qu'à leurs fonctions. Par rapport aux acteurs, c'était la même chose. Le fait qu'il n'y ait pas de loges, pas d'attention particulière qui mettait les acteurs à part a sans doute contribué à cela.

«J'ai remarqué qu'en été, l'atmosphère était différente qu'en hiver. L'hiver, lorsque tu gèles en attendant de faire la prise, l'atmosphère est plus tendue. Lors du tournage d'été, d'autant plus que c'était à la fin du tournage, qu'on était au bord de l'eau et qu'on tournait des scènes le soir après avoir passé la journée au soleil, c'était beaucoup plus doux. Mais, il demeure que je ne peux pas sortir de ce tournage et classer l'affaire. Pour moi, c'est une belle aventure. Il me reste un goût de sucre dans la bouche.»

JEAN BRIEN — ADMINISTRATEUR

Jean Brien a travaillé pour des organismes sociaux à but non-lucratif, des syndicats et des coopératives d'habitation. Il n'a pas été formé dans le milieu du cinéma et il a commencé à exercer son métier aux Productions du lundi matin au moment de la vérification des coûts finaux de *Marie s'en va-t-en ville* de Marquise Lepage.

«Pour *Les Matins infidèles*, j'ai participé à la structure de financement avec François et Marc Daigle. Je n'ai pas travaillé à la préparation du budget. J'ai fait tout le travail de la tenue de livres et de l'administration quotidienne. Après que le directeur de production ait vu les factures, c'était à moi de les payer, de vérifier les bons de commandes, et aussi de faire les rapports de coûts aux institutions.

«En fait, pendant la production, le gros de mon travail consistait à émettre les chèques de paye. Trente personnes payées hebdomadairement, plus les comédiens, vérifier les conventions, le temps double, le temps triple et ainsi de suite, c'est long. C'est un travail de comptable, qui me situait un peu à part de l'équipe. Je n'étais pas impliqué même si j'allais aux réunions de production. Dans l'esprit des gens, l'équipe d'un film se résume à ceux qui se trouvent sur le plateau. Ce qui fait que si je n'avais pas été sur le plateau à quelques reprises, je serais resté le gars qui fait les payes.

«Cependant, je dois dire que Jean et François font toujours en sorte que tu te sentes impliqué dans la création du film. Ils te font venir aux visionnements, te demandent tes commentaires, discutent avec toi et tiennent compte de ton avis. Ils cherchent à avoir ton point de vue même si tu ne le donnes pas facilement.

«À la suite de cette première vraie expérience de tournage, moi qui vient du milieu des organismes sociaux, je trouve que la quantité d'argent qui se dépense dans le milieu du cinéma est tout à fait stupéfiante. Il y a, bien sûr, les frais de plateau, mais aussi et surtout les frais généraux: assurances, garantie de bonne fin, frais légaux, financement, etc. Une importante partie des frais n'apparaît donc pas à l'écran. À mon avis, je ne sais pas si c'est quelque chose qu'on peut dire, mais on aurait pu faire *Les Matins infidèles* pour moins cher. Bien sûr que tout aurait été plus difficile, il aurait fallu négocier plus serré, mais on aurait réussi. Le film, avec un autre budget, se serait fait dans d'autres conditions, c'est tout.

«À mon avis, il y a une poussée inflationniste dans l'industrie du cinéma. Toute l'industrie devrait redéfinir la façon dont se font les longs métrages de fiction au Québec. Par exemple, du scénariste au réalisateur en passant par le producteur, tous sont payés en pourcentage du budget total. Les frais d'assurances ou la garantie de bonne fin se calculent de la même façon. Cela contribue à une poussée inflationniste parce que dès qu'un poste budgétaire précis augmente, les montants liés à ces pourcentages augmentent aussi. Il faudrait donc établir de nouveaux paramètres de production. Peut-être qu'ainsi les films produits ne seraient pas moins bons et qu'on en ferait plus.»

CLAUDE CARTIER — DIRECTEUR DE PRODUCTION

Depuis près d'une vingtaine d'années, Claude Cartier a occupé diverses fonctions dans le milieu du cinéma. Il a débuté comme assistant accessoiriste pour *L'Eau chaude, l'eau frette* d'André Forcier. Après quelques longs métrages au même poste, il se dirigea vers la réalisation en signant, à l'ACPAV, une série de courts métrages. Par la suite, il travailla à titre de régisseur, assistant à la réalisation, réalisateur, producteur et directeur de production (*Marie s'en va-t-en ville* de Marquise Lepage, *Tristesse modèle réduit* de Robert Morin).

«Dès mes débuts et surtout lorsque j'ai fait de la réalisation, j'ai pris conscience de l'importance des gens qui entourent le réalisateur, de leur expérience et de celle que l'on a nous-même, réalisateurs, à acquérir. En travaillant surtout à des métrages dont les cinéastes étaient peu expérimentés, j'ai vite senti l'importance de la communication entre les différentes personnes reliées à la production. S'il n'y a pas de véritable communication, il est difficile d'avoir un jeune réalisateur en confiance sur le plateau, et un réalisateur insécure, qui ne délègue presque rien, est un homme qui s'épuisera en quelques jours et un créateur qui n'aura, la plupart du temps, qu'un produit final très mince.

«Une des principales fonctions du directeur de production est justement de créer une équipe et de bien choisir ces gens. La plupart des techniciens reconnus ont maintenant une expérience irréprochable tant au niveau technique qu'au niveau de la vie de groupe. Cependant, cela ne veut pas dire qu'il y aura la complicité et la patience nécessaires avec un réalisateur qui fera des erreurs.

«Le directeur de production se doit d'avoir un certain flair et une part de créativité, il doit aimer cuisiner avec des produits qu'il ne connaît presque pas. Et son plat de résistance, c'est le plateau de tournage. Il ne peut le rater sinon la digestion sera très difficile.

«Sur *Les Matins infidèles*, l'équipe de tournage était formé d'une quinzaine de personnes, ce qui est bien peu. Le choix en était donc plus complexe. On devait trouver des gens qui accepteraient de travailler dans des conditions non conventionnelles et aptes à juger de l'importance du travail à faire pour chaque scène. Le résultat de ce choix, bien que discutable, fut en général très satisfaisant. Pour certains des postes, nous avions décidé de favoriser "la relève". On sait très bien que l'on demande alors à ceux qui ont plus d'expérience d'être compréhensifs, car il y a aura plus d'erreurs et elles déborderont automatiquement sur le travail des autres départements.

«Pendant le tournage de *Marie s'en va-t-en ville*, François et moi, lors d'une de nos nombreuses discussions, avons partagé un même rêve, celui du portrait idéal d'une production. Il s'agissait d'abord d'avoir un temps de préparation beaucoup plus important où les comédiens auraient plusieurs jours de répétition et où les techniciens pourraient s'impliquer davantage. Pendant le tournage, nous voulions une petite équipe favorisant les contacts directs et la complicité, nous voulions nous donner plus de jours de tournages et des journées de dix heures plutôt que de quatorze. Tout cela afin de rendre la production plus humaine pour tout le monde, et surtout, pour le réalisateur.

«C'est ce rêve que nous avons tenté de réaliser avec *Les Matins infidèles*. Avec le budget prévu pour une production conventionnelle (peu de préparation et 25 jours de tournage), nous avons presque triplé le temps de préparation des techniciens et des comédiens et mis 40 jours de tournage répartis en trois blocs.

«Notre idéal de production comprenait des répétitions sur les lieux de tournage, avec comédiens et chefs de départements, ainsi qu'un découpage technique complet fait en commun par les deux réalisateurs, le directeur photo et l'assistant à la réalisation. C'est donc ce que nous avons appliqué aux Matins infidèles. Plus tard, sur le tournage, les chefs de départements avaient des plans à l'échelle de toutes les locations.

«Selon moi, le découpage technique est un outil essentiel lorsque le réalisateur n'a pas d'expérience et que le budget du film est modeste. Avec un découpage précis, non seulement tu sauves du temps de tournage, mais tu sauves du temps de réflexion: plutôt que de chercher à découper sa séquence, le réalisateur peut se concentrer à travailler avec les acteurs.

«On aurait pu tourner en 40 jours consécutifs et, malgré cela, faire sentir les saisons. Mais on voulait avoir la possibilité de faire des réajustements. Les pauses entre les blocs de tournage étaient donc nécessaires sur ce point. Le principal ajustement a concerné le travail avec Laurent, qui jouait le fils de Denis Bouchard: les dix premiers jours ont été infernaux, en partie à cause du fait que Laurent est le fils de François et que celui-ci augmentait sa responsabilité lorsque l'enfant ratait une réplique. Mais, par la suite, Laurent a été formidable et les rapports avec lui excellents. Il y a eu aussi d'importants ajustements du côté de la direction de la photographie et des décors.

«Un autre point important, c'était la journée de travail. Pour *Marie s'en va-t-en ville*, j'avais voulu imposer la journée de huit heures, avec en plus l'idée de faire parfois des petites semaines de quatre jours. Il y avait eu des réactions négatives et nous avions laissé tomber. Pour *Les Matins infidèles*, les gens ont accepté cela parce que maintenant, plusieurs techniciens réalisent qu'à faire de douze à quinze heures par jour sur des commerciaux, ils vieillissent deux fois plus vite. Cela dit, quand on parle d'une journée de huit ou neuf heures, c'est de la journée de tournage dont il est question. Certains assistants et chefs de secteurs devaient préparer le soir la journée du lendemain.

«Au cours du tournage, l'équipe a grossi de quatre personnes pour des raisons d'efficacité. Par exemple, le décor a pris de l'ampleur et la directrice artistique ne pouvait plus tout faire. Même chose à la caméra: le choix des plans-séquences et le temps de tournage nous avaient fait croire que l'on pouvait se passer d'un deuxième assistant, mais c'était inexact. Une personne s'est ajoutée au groupe machino-électro, mais c'était prévu. D'autre part, Carle Delaroche-Vernet a demandé et obtenu une stagiaire scripte. Il faut dire que Carle a fait un travail exceptionnel: c'est très rare que l'implication d'un assistant à la réalisation est telle. Pourtant, il devait travailler avec deux réalisateurs, sans scripte, avec une petite équipe... C'était des conditions très difficiles.

«Je garde un bon souvenir de ce tournage. Le plan-séquence du marathon, par exemple, demeure l'expérience de ma vie. J'ai longtemps douté de sa faisabilité. C'était une journée qui coûtait dix fois plus cher que les autres, une gaffe d'un seul assistant de production pouvait faire échouer complètement le plan et, à cause du flot des marathoniens, il était impossible de faire plus de deux prises. D'ailleurs, trois jours avant la première répétition, la police nous a refusé l'autorisation parce que, d'après eux, c'était impossible de réussir ce plan sans nuire au déroulement du marathon. Finalement, lorsqu'après discussion, j'ai obtenu la permission d'un directeur de la police, c'était avec l'avertissement qu'à la première anicroche, il arrêterait tout.»

NATHALIE COUPAL — ACTRICE

Nathalie Coupal a étudié le cinéma à l'Université Laval tout en faisant du théâtre. En 1982, elle se joint au Théâtre de la Veillée et tient un rôle important dans *L'Idiot*, d'après Dostoievski. Parallèlement à cela, elle tient quelques petits rôles au cinéma.

«La fonction de l'acteur vient du fait que le texte doit être mis en corps. À l'évidence, les idées et les sentiments doivent être transmis par le matériau humain. L'acteur est donc véhicule, il a la responsabilité d'incarner. Il a aussi le devoir de correspondre le mieux possible à l'idée du metteur en scène, de la servir. En général, le cinéma te demande de bien mentir, d'oublier l'infrastructure, les machines et d'être naturel, d'avoir l'air de dire les choses pour la première fois. À la limite, je dirais qu'au cinéma on épure pour s'abandonner à une action simple. Au théâtre, on construit. On épure aussi, mais on cherche, on refait, on modèle la matière que nous sommes. Quand on commence un rôle au théâtre, on est comme un gros bloc qu'il faut sculpter. La plus grande difficulté au cinéma c'est de s'abandonner, immédiatement et entièrement, dès que le metteur en scène dit action. Au théâtre tu as le temps de te mettre dedans, c'est un tout autre ordre de difficulté. En fait, ça se passe à une autre échelle.

«Jean Beaudry est un fanatique de La Veillée. Il a vu *L'Idiot* plusieurs fois et on s'est connus comme ça. Il m'a un jour proposé une audition pour le personnage de la Jeune femme, personnage important pour l'esprit du film beaucoup plus que ce qu'il exigeait au niveau du jeu. C'était donc important pour eux d'incarner ce personnage à cause de l'impact qu'il avait sur la vie des deux personnages principaux.

«Connaissant Jean, il était évident pour moi que leur démarche allait être inhabituelle. Ne serait-ce que le contact à l'audition, la façon dont ils t'accueillaient, la souplesse et la douceur qui étaient déjà présentes et que j'ai retrouvées au tournage. Cela dit, Jean et François m'ont expliqué grosso modo de quoi il s'agissait, mais c'est tout.

«Le tournage était pour moi assez singulier. C'est que je ne suis presque pas un personnage dans ce film: je suis une présence. Alors il y avait le tournage, mais aussi les photos. J'avais souvent à aller me faire photographier le matin, m'installer sur le coin de la rue et attendre l'autobus une petite heure... Il y avait bien la

scène d'amour avec Denis Bouchard, mais je n'avais par le sentiment de grosses journées de travail avec beaucoup de texte à
apprendre. Mais, même si c'était un rôle très petit, j'y apportais
une grande attention.

«J'ai remarqué que la lourdeur habituelle n'existait pas.
Même la fameuse scène d'amour s'est faite facilement. Cette scène
est d'ailleurs un bel exemple du respect de toute l'équipe. On avait
eu la délicatesse de réduire au maximum l'équipe, il y avait un
silence magique sur le plateau de façon à ce qu'on puisse créer
quelque chose de doux, de ouaté. Ils ont tout installé, ils ont fait les
répétitions mécaniques sans Denis et moi, puis ils nous ont laissés
seuls pour qu'on puisse prendre le temps de se mettre dans une
atmosphère d'abandon, de calme. Ensuite ils sont entrés, un à un,
en silence, et on a tourné la scène.

«Le plus beau souvenir que je garde du tournage c'est le
"Coupez!" de François après cette scène. Il l'a dit tout doucement
puis s'est approché de moi pour me serrer dans ses bras, comme
pour partager avec moi la pudeur...»

MARC DAIGLE — PRODUCTEUR ASSOCIÉ

Au début des années 70, il est réalisateur (*C'est ben beau l'amour*) avant de devenir l'un des producteurs les plus dynamiques de l'ACPAV, où il travaille notamment avec Jean-Guy Noël (*Tu brûles... tu brûles...*, *Ti-cul Tougas*, *Tinamer*) et Paul Tana (*Les Grands enfants*, *Caffè Italia Montréal*).

«Pour *Les Matins infidèles*, j'étais producteur associé. Je devais, en quelque sorte, donner un "feedback" à François Bouvier, amener un autre point de vue de producteur parce que François, en étant aussi réalisateur, pouvait se retrouver en position de conflit intérieur. Mon intervention consistait à poser certaines questions plutôt qu'à faire des choix.

«Ma participation a commencé sur invitation de François, en août ou en spectembre 1987. Le financement était déjà très avancé. Ils avaient des accords de principe avec les institutions. À cette époque, François et Jean souhaitaient un producteur délégué, ce qui pour moi est une fonction proche de celle du directeur de production. Je ne voulais pas assumer une telle fonction, mais j'étais prêt à leur faire part de mon expertise de production dans ce type de projets, c'est-à-dire des productions légères et souples, à budget restreint. J'ai donc aidé, par exemple, à choisir l'équipe. J'ai pu proposer quelqu'un comme Carle Delaroche-Vernet, l'assistant à la réalisation, que j'avais vu travailler sur *Le Dernier havre*, qui était une production modeste.

«Au début du tournage, il était question d'une équipe réduite à l'extrême. Cette intention a évolué au fur et à mesure que le travail avançait. Tourner avec petite équipe, ça veut dire oublier la Steadycam, oublier les mouvements de foule, et ainsi de suite. Pour moi, il faut une adéquation entre le scénario, la mise en scène, et la composition de l'équipe qui doit être expérimentée et prête à risquer l'aventure. Pour *Les Matins infidèles*, il fallait tourner le marathon. C'est très difficile, voire impossible, de bien capter cela avec une petite équipe. Dans ce cas précis, le scénario ne le permettait pas.

«Du reste, les très petites équipes, je n'ai pas vraiment vu ça sur des tournages soutenus. À l'ACPAV, on a fait du tournage dramatique à trois personnes pour *La Ligne de chaleur*, mais cela durait une seule journée. Travailler plusieurs jours de suite de cette façon devient impossible. C'est extrêmement risqué.

«Par ailleurs, il est certain qu'au fur et à mesure que tu augmentes l'équipe, tu te donnes de plus grandes exigences en terme de minutes et de plans tournés par jour. D'un point de vue esthétique, ça veut souvent dire que tu entres dans le modèle. Si j'avais accepté d'être producteur délégué, mon rôle aurait été plus déterminant. J'aurais été un intermédiaire de plus. Donc, j'aurais pu résister contre le grossissement de l'équipe, par exemple. Mais en me positionnant comme producteur associé, j'acceptais d'emblée leurs choix.

«Je suis content de ma collaboration aux Matins infidèles parce que je trouve très stimulant de participer à des expériences de productions qui sont proches des miennes. Ça fait partie de mes objectifs d'expérimenter d'autres façons de tourner. Dans le cas de Jean et François, c'était la coréalisation, la coscénarisation et, en plus, un réalisateur qui est acteur et monteur. Je suis ouvert à cela et ça m'apporte beaucoup.»

CARLE DELAROCHE-VERNET — 1ᵉʳ ASSISTANT À LA RÉALISATION

De 1969 à 1983, il occupe diverses fonctions aux Productions Via le Monde: prise de son, régie. Après avoir quitté cette compagnie, il se tourne vers le métier d'assistant à la réalisation. Il travaille d'abord à un court métrage, *Vas-y Stéphane* de Bernard Dansereau, puis enchaîne avec quelques longs métrages: *Le Dernier havre* de Denyse Benoît, *La Guêpe* de Gilles Carle, *Tinamer* de Jean-Guy Noël, *Tommy Tricker and the Stamp Traveller* de Michael Rubbo, *Bye bye chaperon rouge* de Martha Meszaros et *Fierro... l'été des secrets* d'André Melançon.

«La fonction d'assistant à la réalisation est pour moi bien définie quant à son titre. Il s'agit d'être à la fois la béquille et le confident du réalisateur. Ce qui est particulier au Québec, c'est que tu dois aussi être le gendarme qui dirige l'équipe et fait respecter l'horaire, donc le budget. Quand on dit "Action!", tu dois être entièrement dans le contenu du film avec le réalisateur. Quand on dit "Coupez!", tu redeviens les yeux et les oreilles de la production, tu t'occupes de ce qui se passe en arrière. D'abord au service du réalisateur et après cela du producteur. Tu es au service d'une idée, tu dois aider à créer le cadre propice au développement de cette idée. Tu dois aussi être un peu l'écran entre le réalisateur et le producteur.

«Claude Cartier m'a appelé durant l'été 1987 pour me proposer le scénario des Matins infidèles. À cette époque, je partais pour la Chine à cause du tournage du film de Rubbo. C'est donc là-bas que je l'ai lu. Au retour j'ai rencontré Claude qui m'a expliqué que ce qu'il recherchait des membres de la petite équipe était d'abord et avant tout une implication totale. Claude était très appuyé par François. Déjà, à l'époque, Jean se mettait en retrait et se préparait à prendre sa place d'acteur.

«Nous avons ensuite procédé au découpage technique. J'avais déjà participé à ce type d'exercice avec Jean-Guy Noël, mais avec François, Jean et Alain Dupras, c'était différent. Du début à la fin, nous avons pu travailler sur des plans des lieux de tournage faits à l'échelle. J'avais fait des rapporteurs en carton pour voir directement sur ces plans les différentes focales utilisables. Nous pouvions donc aller assez loin dans l'approche visuelle du film.

«Ce travail m'a passionné du premier jour jusqu'au dernier. Chacun proposait sa façon de voir la scène selon les intentions de base, et à partir de là, se discutait et se décidait le découpage final. Cela m'a permis d'entrer de plain-pied dans l'intimité du film. Peut-être n'était-ce qu'une impression, mais plus tard, sur le plateau, je sentais beaucoup mieux ce que le jeu des acteurs allait produire à l'image; surtout dans le cas des plans-séquences (qui caractérisent la présence du personnage de Marc). Ça me permettait de mieux intervenir auprès de François. Lui se concentrait sur le jeu des comédiens et moi sur la composition du plan. En un coup d'œil, François et moi nous nous comprenions: une belle complicité.

«*Les Matins infidèles* a été tourné avec une petite équipe et les chefs de secteurs devaient être là du début à la fin. Neuf mois... C'est long! Le danger, lorsqu'il y a peu de techniciens et que le tournage est aussi dilué dans le temps, c'est que si tu n'as pas choisi la bonne personne pour occuper un poste important, tu dois ou bien la remplacer (pas toujours facile) ou bien l'endurer jusqu'à la fin en mettant tout en œuvre pour l'aider. Si ce film avait été le mien, j'aurais changé une ou deux personnes, en me disant qu'il s'agit de mon film que ces personnes mettent en danger.

«Quand tu te rends compte que la compétence de quelqu'un n'est pas celle que tu avais cherché, la rigueur t'indique de le remplacer. Mais, la rigueur est une chose, et la philosophie de Jean et de François est certainement moins abrupte que la mienne! Pour eux, le film est une affaire d'équipe. Le "film à faire" et "l'équipe à vivre" sont indissociables. Moi, j'avais un peu tendance à leur tenir le langage inverse et à leur dire: "C'est d'abord du film dont il s'agit, les individus sont au service de cette idée, ils passent donc après!"

«Au sujet du tournage par blocs séparés, je pense que le souci de fidélité à la réalité l'a décidé, beaucoup plus que la possibilité ainsi offerte de repos et de réajustements. En fait, c'est difficile de tourner en blocs, commencer chaque bloc, c'est à chaque fois commencer un nouveau tournage, et un tournage, faut pas se leurrer, c'est la guerre! C'est donc plus facile de tourner d'une seule traite et de se mettre sur le pied de guerre une seule fois. Si le film avait été tourné en continuité, les réajustements se seraient faits quand même. Lorsque tu tournes un bloc de dix jours, tu te réajustes seulement après les dix jours. Mais lorsque tu tournes huit semaines consécutives, il y a une urgence et tu fais tes réajustements dès la fin de la première semaine. Tu t'arranges donc avec le laps de temps dont tu disposes. Cependant, même s'il est possible de faire de la neige artificielle, même si tu peux créer l'illusion de l'hiver ou du printemps, tout le monde est plus dans l'ambiance lorsque, comme le comédien dans le film, chacun a dû déneiger sa voiture le matin pour venir travailler.

«Par rapport à leur projet de départ, j'ai senti une petite déception chez Jean et François en cours de tournage: la machine était plus lourde que prévu. Mais, cela ne pouvait être autrement. Une équipe de tournage en 35 mm, c'est un 747 qui manœuvre dans une cour. Ça prend du temps! Ce n'est pas nécessairement le nombre de techniciens qui pose un problème, mais, chaque jour, tu aimerais bien souvent "entrer" dans ton film plus rapidement. Quand tu passes deux heures le matin à régler une question d'éclairage, c'est très frustrant de ne pas avoir ton temps à toi pour répéter en situation avec les acteurs. Je pense sincèrement qu'on aurait pu être plus efficaces à bien des reprises. À preuve, dans les Laurentides, à la fin, on s'est senti plus dans le sujet du film que dans la technique. Mais c'est toujours à la fin d'un tournage qu'on est vraiment prêts... à le commencer!»

ALAIN DUPRAS — DIRECTEUR DE LA PHOTOGRAPHIE

Avant de travailler aux Matins infidèles, Alain Dupras a signé les images de plusieurs courts et moyens métrages (dont *Le rêve de voler* d'Helen Doyle, en 1986), ainsi que de trois longs métrages (*Beat* (1976) et *L'Hiver bleu* (1979), deux films d'André Blanchard, et *Doux aveux* (1982) de Fernand Dansereau).

«Sur le plan technique, on peut définir le directeur de la photographie comme étant le responsable de l'image, tant en ce qui concerne le cadrage que la lumière. Mais, en fait, cette définition ne tient pas compte du plus gros du travail, qui est d'établir le concept photographique d'un film de concert avec les intentions du réalisateur, c'est-à-dire de mettre la technique en rapport étroit avec l'histoire racontée, le scénario et la personnalité du réalisateur.

«Je crois que le spectateur ne doit pas remarquer la direction de la photographie. Les images les plus fortes sont celles qui vont de pair avec le propos du film. Si tous les spectateurs remarquent la direction de la photographie, c'est qu'il y a un problème. Car les acteurs restent la chose la plus importante. L'histoire et les acteurs font qu'un film fonctionne ou pas. Les autres départements doivent donc être soumis à cela.

«Ma collaboration sur *Les Matins infidèles* a commencé très simplement. Jean Beaudry, à cette époque, travaillait à un scénario avec un ami, Yves Fortin. Yves a su que Jean et François cherchaient un directeur de la photographie et il me l'a dit. Comme j'avais été impressionné par *Jacques et Novembre*, j'ai été tout de suite intéressé. Ils cherchaient quelqu'un de pas trop expérimenté, quelqu'un qui était en quelque sorte à leur niveau, puisque c'était leur premier long métrage tourné avec des moyens importants.

«François voulait du temps pour diriger les comédiens, ce qui représentait un défi pour moi: il fallait éclairer très rapidement, tout en respectant mes critères de qualité et en livrant la marchandise. Cela a été difficile au début, parce que ce que l'on voulait faire n'avait pas été défini assez clairement. En fait, c'était normal, car ce type de travail n'exige pas que des bonnes intentions. Il faut aussi de l'expérience, et cela faisait défaut autant à François qu'à moi. Voilà pourquoi, aujourd'hui, si je revivais un tournage semblable avec François ou quelqu'un ayant son expérience, je suis persuadé que ça irait bien dès le début parce que nous n'en serions pas à notre première expérience du genre.

«Le fait de travailler entre gens pas très expérimentés a généré une énergie positive tout en causant certains problèmes. En fait, le danger d'une telle situation tient au fait que par manque d'expérience dans la pratique d'un tournage dans ces conditions (petite équipe, budget restreint, etc.), la panique peut s'installer chez certains dès qu'il y a un vrai problème. Or, peut-être qu'une personne qui réagit nerveusement cette fois-ci sera la meilleure personne à engager la prochaine fois parce qu'elle aura déjà été confrontée à la situation.

«Les relations entre les gens, sur une petite équipe, sont différentes. La frontière entre ton travail et celui des autres est moins claire. Dans un gros tournage, cette frontière est parfaitement déterminée: c'est écrit dans la convention collective. Un tournage comme celui des Matins infidèles est en ce sens une expérience émotive.

«Le tournage en blocs contribuait aussi à rendre la situation complexe. Par exemple, j'ai tourné à Paris et à Londres entre deux blocs. On s'était entendu là-dessus, mais j'ai appris au retour que François aurait aimé que je reste. C'était un manque de communication car s'il me l'avait demandé je serais resté. Ce n'était pas très important pour le film, puisqu'on avait une interruption de deux mois, mais c'était sans doute important pour que François se sente en sécurité. Il tenait beaucoup à ce que certaines personnes restent autour de lui pendant tout ce temps.

«Avec le recul, je suis satisfait à 70% de la photographie du film. Il y a des endroits où c'est correct techniquement, mais où il aurait été possible d'améliorer l'impact dramatique de la scène. Quant à la séquence du marathon, c'est certainement la séquence la plus spectaculaire que j'ai jamais tournée. Ce qui me satisfait le plus, c'est qu'elle est discrète. On ne sent pas l'effet. Elle est très organique: elle va avec le film, avec le mouvement du comédien, on ne sent pas qu'elle dure cinq minutes.»

LAURENT FAUVERT-BOUVIER — ACTEUR

«J'ai sept ans. Lorsque j'ai joué dans *Les Matins infidèles* j'avais cinq ans et j'allais à la maternelle. Avant, je ne savais pas quel métier je voulais faire mais, maintenant, je veux devenir comédien parce qu'après le tournage j'étais content de moi.

«Sur le plateau, François me disait quoi faire, on faisait des répétitions et je faisais comme si j'étais moi. Ce qui était difficile, surtout, c'était d'attendre. Je n'aimais pas ça. J'allais dans une pièce, je m'assoyais et j'attendais. Parfois quelqu'un jouait avec moi. Une fois, Denis Bouchard, mon père dans le film, devait me donner une claque. Pour que ça soit bon il m'en a donné une vraie. Alors j'ai pleuré très fort et François est arrivé. Il avait comme honte parce qu'on m'avait fait mal. Mais je lui ai dit que ce n'était pas de sa faute, que l'important c'était que ça soit bon dans le film.

«Je pense que j'aimerais autant tourner sans mon père, parce que j'aime travailler. On a congé d'école et on gagne de l'argent. Ce que j'ai aimé, aussi, c'est qu'au début du tournage, il y avait une scène où je devais manger mes céréales préférées.

«Ce qui m'a le plus impressionné sur le plateau, c'était de voir les caméras et l'équipement. À la fin du film, j'ai été aussi impressionné lorsqu'ils m'ont donné un perroquet vivant. Aussi, comme j'avais fait de l'argent pendant le film, j'en ai pris une partie pour aller en France avec François.»

VIOLAINE FOREST — ACTRICE

Après des études en théâtre à l'UQAM, elle travaille au théâtre, notamment avec Jean-Pierre Ronfard, et fait plusieurs apparitions au cinéma et à la télévision. *Les Matins infidèles* lui donne l'occasion d'un premier vrai rôle au cinéma.

«Pour moi, être actrice, c'est devenir quelqu'un d'autre avec le plus d'humilité possible et avec beaucoup de cran. Il faut travailler beaucoup mais ne rien figer. Il faut explorer. Je cherche une osmose entre la rigueur et l'abandon. Le jeu, c'est un équilibre précaire entre la forme et le contenu, entre l'être et la manière d'être. Un comédien doit savoir qui il est: s'aimer, se détester, mais se connaître. Être capable de se regarder en pleine face comme s'il était son meilleur ami et se dire: Là, tu mens! Là, tu dis vrai! Au cinéma, tu dis les mots pour la première fois. Tu ne sais pas ce qu'on te répondra. Ce que tu dis peut changer ta vie. C'est un frisson, un précipice, une communion. Plutôt que les dialogues, je préfère les regards, les silences, les départs. J'aime Julie parce qu'elle est faite de cela.

«J'ai obtenu le rôle dans *Les Matins infidèles* à la suite d'une audition. Je ne connaissais pas du tout Jean Beaudry et François Bouvier. Je leur avait envoyé un curriculum vitae et des photos. En fait, je n'avais même pas vu *Jacques et Novembre* et je n'ai pas voulu le voir avant la fin du tournage pour ne pas être influencée.

«Donc, lorsque j'ai passé une première audition, je ne savais rien d'eux. Cependant, je me suis sentie tout de suite bien dans cet environnement. J'ai expliqué à François que pour moi, c'était important de rester près des créateurs, de faire des choses marginales avec ceux qui cherchent. Par la suite, lorsque j'ai eu le scénario, je l'ai lu à trois reprises et je l'ai aimé.

«Sur le plateau, il y avait une grande confiance. Les yeux bleus d'Alain Dupras, de Pierre Pelletier, les yeux de Gaétanne Lévesque, tout cela était rassurant. J'ai déjà travaillé sur des plateaux où les regards sont fuyants, mais celui des Matins infidèles n'était pas comme ça. Quand il y a un rapport d'affection, tu ne vois pas l'équipe. Elle ne te dérange jamais. François était très attentionné. Jean était présent et stimulant, malgré sa discrétion. Il faut dire que quand tu es figurante sur un plateau américain, c'est plutôt froid.

«J'avais six jours de tournage. Comme je suis habituée à travailler de douze à seize heures, je trouvais que c'était de petites journées. Moi, je suis heureuse quand je travaille. Lorsqu'il y a des pauses, je continue souvent à travailler. Ce qui fait qu'aux répétitions, par exemple, j'aurais aimé qu'on travaille plus dur que cela. J'étais très surprise que le travail soit aussi "smooth". Mais je suis sûre que c'était bien comme cela.

«La première chose qui m'a touchée sur ce tournage, c'est l'attitude de Denis Bouchard. Il m'a reçue de manière ouverte, m'a parlé de lui, de sa conception du Québec... Sa disponibilité en dehors des heures rémunérées était très grande, et l'on sait que ces heures sont très importantes pour que deux acteurs se connaissent. C'est à cause d'un tas de choses comme celles-là que je garde un bon souvenir de ce premier rôle.»

KARINE LEPP — DIRECTRICE ARTISTIQUE

Karine Lepp est directrice artistique depuis 1981. Elle a fait ses débuts en vidéo (*Tous les jours, tous les jours, tous les jours* de Johanne Fournier et Nicole Giguère, et *Les tatouages de la mémoire* d'Hélène Doyle). Depuis, elle a travaillé à plusieurs films dont *Entre Temps* de Jeannine Gagné, *La Guerre oubliée* de Richard Boutet, *Eva Guerillera* de Jacqueline Levitin et *L'humeur à l'humour* de Nicole Giguère et Michèle Pérusse.

«Pour moi la direction artistique c'est la conception, de concert avec le réalisateur, de l'aspect visuel et de l'esthétique d'un film. En pratique, ça comprend le repérage des lieux de tournage ainsi que la responsabilité de tout le décor qui apparaît à l'image. Ça veut aussi dire, dans certains cas, comme *Les Matins infidèles*, s'occuper des accessoires sur le plateau. Tout ce travail doit naturellement être fait en coordination avec les costumes et le maquillage. L'esprit d'équipe est par conséquent essentiel pour obtenir une certaine homogénéité entre les personnages et "leurs décors". Dans ce cas-ci, nous avons réussi Gaétanne Lévesque, Kathryn Caseault (puis Lucille Demers) et moi, à créer une belle complicité.

«*Les Matins infidèles* était mon premier long métrage de fiction. Je voulais d'abord lire le scénario pour savoir si je pouvais le faire dans le cadre de ma formation et de mon expérience. Claude Cartier m'avait également donné le budget du décor. Après une première lecture du scénario et avec ma compréhension des personnages, je me disais que je pouvais le faire. Cependant, suite aux demandes de François, j'ai réalisé que le budget qu'on m'avait alloué n'était pas suffisant.

«Tout cela tient au fait que le personnage Marc devait d'abord vivre dans un appartement de type populaire. Cependant, pour différentes raisons, la réalisation a ensuite décidé qu'il fallait relever le niveau de vie du personnage. À partir de là, il y a donc eu un fossé entre le budget initial et ce que coûtait les nouvelles demandes. De plus, j'ai également rencontré certains problèmes avec les lieux de tournage. Par exemple, après avoir trouvé, avec difficulté, l'appartement de Marc, on s'est aperçu que le plancher craquait énormément ce qui rendait impossible la prise de son. Il a donc fallu installer des tapis, ce que je n'avais pas prévu dans mon budget et dans mon horaire.

«Le choix de tourner en continuité a également entraîné quelques problèmes. Entre autres, il fallait que les pièces de l'appartement soient toutes montées de façon à ce que l'on puisse passer fréquemment de l'une à l'autre. Mais, comme nous avions un petit budget et qu'il n'y avait pas de pièce disponible pour les costumes, le maquillage et l'équipement technique nous devions régulièrement monter et démonter les décors pour laisser la place. La continuité, dans ces conditions, c'est un cauchemar...

«Je ne sais pas à quel point Jean et François se rendaient compte de tout cela. Ils m'ont dit qu'ils étaient satisfaits des résultats mais je me demande s'il n'y a pas une part de diplomatie, dans leurs propos, qui rentre de compte. De mon côté, je reste sur ma faim. J'ai bien hâte de voir ce que cela va donner une fois le film terminé.

«Malgré tout, je continuerai à faire ce genre de production. Différemment, il est vrai, car j'ai tiré une certaine expérience de ce tournage. Quoi qu'il en soit, l'important pour moi, c'est que j'aime le cinéma d'auteur parce qu'il correspond à mes aspirations personnelles. En effet, je ne fais pas du décor pour du décor, mais du décor en rapport avec une idée véhiculée. Les gens pensent souvent qu'un décor doit être beau. En fait, ce qu'il faut, c'est qu'il ait une âme, qu'il soit habité, qu'il soit en relation étroite avec le sujet.»

GAÉTANE LÉVESQUE —
COSTUMIÈRE

Après avoir étudié le théâtre à Saint-Hyacinthe, Gaétanne Lévesque travaille pendant quelques années au Théâtre d'aujourd'hui.
Assistante-costumière pour *Le Matou*, de Jean Beaudin, elle est
costumière pour quatre films de la série des *Traquenards* que produit Via le Monde. *Les Matins infidèles* est son premier long
métrage.

«Être costumière, c'est avoir la responsabilité d'habiller un personnage pour qu'il soit crédible. À l'écran, l'habit fait le moine. Donc,
la costumière doit d'abord bien lire le scénario pour se faire une
idée claire de la psychologie des personnages, de la classe sociale
à laquelle ils appartiennent, etc. Elle doit ensuite rencontrer le
réalisateur, ajuster sa conception des personnages à la sienne et, à
partir de là, définir les besoins. Il faut ensuite procéder à l'achat ou
à la fabrication. Enfin, il faut laver les vêtements, les user pour les
faire vivre et qu'ils n'aient pas l'air de sortir du magasin. Tout cela
vaut pour un film dont l'action se déroule de nos jours. Lorsqu'il
s'agit d'un film d'époque, il y a toute une recherche historique dont
il faut tenir compte.

«Il est important que la costumière travaille en relation étroite
avec la directrice artistique, puisque les costumes s'ajoutent aux
décors et aux accessoires pour composer l'environnement à l'intérieur duquel l'acteur évolue. Quant aux rapports avec la maquilleuse et la coiffeuse, ils sont aussi importants mais ils exigent une
concertation moins complexe.

«Avant de travailler aux Matins infidèles, j'avais rencontré
Claude Cartier sur le plateau des *Traquenards*. C'est sans doute à
la suite de cela qu'il m'a convoquée à une entrevue. Pour moi, le
défi des Matins infidèles consistait à cumuler les fonctions de costumière et d'habilleuse. C'était particulièrement exigeant lors du
premier bloc de tournage, puisque je devais prendre mes soirées et
mes temps libres pour terminer les achats, laver, teindre, préparer
les vêtements et que je devais rependre le collier tôt le lendemain
matin pour aller habiller les comédiens sur le plateau. Mais, à un
moment donné, tout s'est stabilisé: lorsque tes costumes sont tous
trouvés, il ne te reste que le travail d'habilleuse.

«D'après moi, j'ai fait quelques erreurs lors du premier bloc
de tournage. Les personnages n'habitaient pas tout à fait leurs vête-

ments. J'ai l'impression de m'être rapprochée progressivement des personnages à mesure que le tournage avançait.

«J'ai essayé de représenter subtilement toute l'évolution du personnage interprété par Denis Bouchard: au début ses vêtements sont plus colorés, il change de costume plus souvent, et à mesure que le mécanisme de sa vie se détraque, il prend de moins en moins soin de lui. Le personnage interprété par Jean Beaudry est à la fois plus discipliné et moins éparpillé, alors ses vêtements sont plus sobres, dominés par des teintes comme le marine et le brun. Il se soucie moins de la mode. Jean a d'ailleurs puisé l'essentiel de ses costumes à même sa propre garde-robe.

«C'était facile de travailler avec les personnages masculins parce qu'ils étaient très bien caractérisés dans le scénario. Dans le cas des filles, c'était moins précis. Il fallait donc leur trouver un genre à chacune.

«Je retire une bonne expérience de ce tournage. Une expérience positive même si au début c'était difficile, parce que c'était ma première expérience du genre et qu'il y avait un manque de confiance de part et d'autre. Par la suite, le fait de travailler avec Karine Lepp a beaucoup aidé au déroulement du tournage parce que la concertation avec elle était facile.»

PHILIPPE PALU — CHEF MACHINISTE

Philippe Palu est chef machiniste depuis 1984. Il a notamment œuvré sur le tournage de plusieurs films de la série *Shades of Love*, ainsi que de *Fierro... l'été des secrets* d'André Melançon. Venu de la construction, il a commencé à travailler au cinéma, en 1979, comme apprenti machiniste.

«Si on reprend la terminologie anglaise et que l'on parle de "motion picture", on peut dire que le machiniste s'occupe du "motion". C'est-à-dire que le machiniste est responsable du mouvement: il installe les rails pour faire bouger la caméra, fait les mouvements de grue, etc. C'est donc un travail très physique.

«Aussi, ce qui est particulier à l'Amérique du Nord, nous sommes reponsables d'une partie de la lumière; les électriciens mettent en place le système d'éclairage et nous avons la tâche de faire disparaître la lumière parasite, par exemple en mettant une soie devant telle source d'éclairage, ou un drapeau, ou encore un rideau noir.

«Le directeur de la photographie, le chef électricien et le chef machiniste travaillent en relation étroite. Ce sont eux qui sont responsables de l'aspect technique lié à l'image du film. Le plus souvent, le directeur de la photographie choisit les deux autres chefs de départements, tandis que nous choisissons nos propres assistants.

«Un an avant le tournage des Matins infidèles, j'avais failli travailler avec Alain Dupras pour la télésérie *Rock*. Je crois que c'est à la suite de cela que j'ai été approché au moment de tourner le film de Jean et François. Au départ, cependant, je n'étais pas certain de faire le film en entier, à cause du tournage échelonné sur un an.

«Lors de la pré-production, lorsque nous visitions les locations, les comédiens venaient et jouaient pour nous une partie de la scène. Nous pouvions donc sentir l'ambiance, mieux voir les scènes et connaître leur découpage avant de prendre les décisions techniques. C'est une approche assez nouvelle qui a sans doute rapporté des dividendes.

«Ils avaient fait un découpage précis, ce qui est aussi une bonne chose. Quand tu vas faire un voyage, tu traces ta route avant de partir. Alors même si tu décides d'en dévier tu sais quand même où tu vas. Tourner un film, c'est la même chose: il faut que tu saches ce que tu veux pour avoir ce que tu veux.

«Pour *Les Matins infidèles*, le découpage prévoyait que le personnage de Jean Beaudry allait être filmé en plans-séquences. Du point de vue du machiniste, le plan-séquence est plus exigeant parce qu'il nécessite souvent un éclairage complexe et qu'il est difficile de faire en sorte que le mouvement de la caméra se tienne du début à la fin. D'un autre côté, le plan-séquence est plus long à mettre en place, mais il peut faire économiser du temps parce qu'il n'exige qu'une seule mise en place pour l'ensemble de la séquence. Sans compter qu'il peut faciliter le montage. Mais, la réussite d'un plan-séquence est tributaire du rapport entre la technique et les comédiens. C'est sur les acteurs que repose la scène puisque le montage ne peut venir à leur rescousse. Dans le cas des Matins infidèles, je peux dire qu'il y avait une réelle adéquation entre le scénario, la réalisation, la technique et le jeu des acteurs.»

PIERRE PELLETIER — ASSISTANT À LA CAMÉRA

Pierre Pelletier est assistant à la caméra depuis quinze ans. Récemment, il a travaillé avec Jean et Serge Gagné sur le plateau du *Royaume ou l'asile*, mais il a surtout travaillé pour la télévision à des séries comme *Rock* et *Lance et compte*.

«Pour définir la fonction d'assistant à la caméra, il faut d'abord expliquer qu'avant qu'une image apparaisse sur l'écran, la dernière chose qui se passe c'est lorsque le caméraman appuie sur le bouton pour mettre la caméra en marche. Avant ce geste, il y a une dizaine d'opérations invisibles. Toutes les opérations liées à la propreté et à la vérification de la caméra. C'est donc en bonne partie un travail d'entretien mécanique, et c'est pourquoi il faut un véritable amour de la mécanique pour devenir un bon assistant. Cependant, la responsabilité suprême de l'assistant à la caméra c'est de faire le point. C'est ce qu'il y a de plus difficile parce que les directeurs de la photographie travaillent presque toujours avec le diaphragme grand ouvert, ce qui fait que la profondeur de champ est souvent une question de pouce ou de quart de pouce. À cause de cela, personne ne voit vraiment ce qui se passe dans la caméra et, aux rushes, lorsque le résultat se retrouve sur l'écran, tout le monde le voit. C'est à cause de cela que la plus grande qualité de l'assistant est sa capacité de concentration: en une fraction de seconde d'inattention, tu peux gâcher la seule bonne prise.

«C'est Alain Dupras, le directeur de la photographie, qui m'a approché pour travailler sur *Les Matins infidèles*. Il a commencé par me résumer le scénario, et on a parlé de certains éléments visuels qui nous frappaient: le fait que le scénario reposait sur un projet de photographie, le passage de la couleur au noir et blanc, du cinéma à la photographie, etc. J'ai accepté parce que j'aime travailler avec Alain et que, en plus, ce film représentait un défi technique à cause de ces éléments visuels.

«J'étais d'accord pour travailler en petite équipe, tout en sachant fort bien que ce qu'on voulait dire par petite équipe c'était en fait une équipe moyenne, où il y avait quand même assez de monde pour faire le travail efficacement. Pour le reste, le travail en blocs ne me dérangeait pas. J'avais aussi entendu dire qu'on tenait à tourner en dehors des paramètres habituels, mais je n'en faisais pas de cas parce que je savais qu'il existe une force d'inertie qui fait qu'on en revient toujours à des procédés éprouvés.

«Qu'on me comprenne: il y a des excès dans la façon de fonctionner de l'industrie, des plateaux énormes où un paquet de gens font des "power trips", mais il y a aussi des conditions minimales de travail et, ce qui importe avant tout, c'est l'état d'esprit, la sensibilité, la réceptivité du plateau plus que le nombre de techniciens. À vingt-cinq personnes, ça peut être très respectueux tandis que j'ai vu des équipes de dix ou douze personnes où la tension était terrible.

«Au début du tournage, je n'avais pas de deuxième assistant, ce qui allongeait ma journée de travail et compliquait les choses. J'en ai demandé un parce que c'est une tâche importante. C'est lui qui s'occupe des magasins, qui tient une comptabilité précise de la pellicule et qui s'occupe des claquettes. Je pense que Jean, François et le reste de la production ne voulaient pas trop qu'il y ait un deuxième assistant, mais après quelques jours, ils ont réalisé que le temps que je perdais à faire ce travail ne servait à personne.

«Cela peut paraître secondaire, mais un élément fondamental sur un plateau, c'est que tout le monde ait un bon sens de l'humour. C'est ce qui lubrifie les tensions, parce qu'il y a toujours des tensions. Tu sens, d'ailleurs, que lorsqu'une équipe est trop exploitée, l'humour est la première chose qui disparaît. Le second élément fondamental, c'est le respect. On ne demande pas à un réalisateur d'être chaleureux, mais il faut que le dialogue existe, que le réalisateur discute avec son équipe technique et qu'il accepte les suggestions tout en conservant son idée de départ. Sur ce point, c'était intéressant de voir François parce qu'il peut t'écouter et accepter tes conseils, mais lorsqu'il est convaincu que cela est essentiel pour le film, il est prêt à prendre le risque de s'imposer et d'assumer son erreur jusqu'au bout.

«Je dis tout cela, mais il n'empêche que parfois, tu es tellement concentré sur ton travail que tu oublies complètement ce qui se passe autour. Je perçois tout de même que de plus en plus de producteurs et de réalisateurs comprennent que ce qui se passe à l'intérieur de l'équipe est aussi important que la qualité de l'équipement. L'attitude sur *Les Matins infidèles* en est un bon exemple.»

LOUISE RICHER — ACTRICE

Louise Richer enseigne la psychologie lorsqu'elle décide de devenir actrice. Au cinéma, elle tient plusieurs petits rôles dans des films comme *La Grenouille et la baleine* de Jean-Claude Lord, *Visage Pâle* de Claude Gagnon et *Marie s'en va-t-en ville* de Marquise Lepage. Actuellement, elle est directrice artistique des Lundis juste pour rire et elle dirige l'École de comédie juste pour rire.

«Pour moi, être actrice, c'est quelque chose d'intuitif. Il faut être en état de vulnérabilité, être ouvert et disponible, être dans un état où les choses peuvent s'imprimer en toi pour que tu y réagisses. Mon travail d'actrice, c'est de faire la synthèse entre ma vie, le scénario, l'ambiance du plateau et les intentions du metteur en scène. C'est aussi investir les objets d'une réalité, habiter le décor, le rendre émouvant et rendre réel le décor de cinéma. Entre la comédie et le drame, le travail de base est le même. C'est la vérité du personnage qui prime.

«Je connais François Bouvier depuis une quinzaine d'années et j'ai rencontré Jean Beaudry sur le plateau de *Jacques et Novembre*, dans lequel j'avais à peu près la moitié d'une apparition. On s'est connu un peu mieux au moment de *Marie s'en va-t-en ville* et, ensuite, j'ai été retenue à l'audition des Matins infidèles. C'était pour le rôle de Pauline, un rôle qui demandait six jours de tournage. Étant donné que je ne joue pas tellement souvent, quand un projet se présente ça m'excite toujours beaucoup. Cette fois-ci, je l'étais d'autant plus que j'aimais bien le scénario et les gens avec qui j'allais devoir travailler.

«Au départ, je savais que *Les Matins infidèles* serait un tournage à équipe réduite et, ce qui est exceptionnel, avec des répétitions. Dans les faits, j'ai eu presque autant de temps de répétition que de tournage, ce qui est très rassurant.

«Le plateau était très respectueux. Souvent, au cinéma, tu es obligé de demander le silence. Cette fois-ci l'équipe était réduite et les gens savaient ce qui se tournait, ils étaient conscients de ce qui se passait et agissaient en conséquence. Je me souviens qu'un jour, après le dîner, alors que nous avions une scène particulièrement émotive à tourner, les gens entraient presque sur la pointe des pieds pour ne pas gêner notre préparation. C'est la preuve que les acteurs n'étaient pas d'un côté et les techniciens de l'autre. Chacun se sentait responsable.

«Un autre exemple que je pourrais donner, c'est cette scène où j'apparaissais nue. Je sais, tout le monde aujourd'hui fait ce type de scène. Mais, quand c'est la première fois, tu y penses à l'avance, tu es gênée. Cependant, lorsqu'est venu le temps de tourner cette scène, ça s'est fait en douceur, avec beaucoup de délicatesse. François a attendu la dernière minute pour me faire déshabiller. On a commencé à travailler seulement avec le directeur de la photographie, les autres membres de l'équipe se sont ajoutés un à un, et cela s'est fait dans une sorte d'intimité.

«En ce qui me concerne, le climat était donc excellent. Ce qui était très important pour moi, c'est que je ne sentais pas le chronomètre marcher. François me disait toujours de prendre mon temps, qu'on tournerait quand je serais prête. Il s'occupait de la direction d'acteur et intervenait face à Jean de la même façon que face à moi. D'autre part, il me décrivait en gros le plan à tourner, mais je n'osais pas demander précisément en quoi cela consistait. C'est peut-être le genre de choses dont je me préoccuperais si je jouais plus souvent au cinéma.»

MICHEL RIVARD — COMPOSITEUR

Figure importante de la chanson populaire au Québec, il a fait partie du groupe Beau Dommage avant de poursuivre une fructueuse carrière d'auteur, compositeur et interprète. En plus d'une activité d'acteur épisodique, au théâtre comme au cinéma (*Le dernier glacier*, de Jacques Leduc et Roger Frappier), il a signé la musique de quelques films: *Rien ne va plus* de Jean-Michel Ribes, *L'espace d'un été* d'André Melançon, *Jacques et Novembre* de Jean Beaudry et François Bouvier, de même que *Marie s'en va-t-en ville* de Marquise Lepage.

«Je suis un ami d'adolescence de François Bouvier. Nous nous sommes connus en 1965 au collège Saint-Ignace et, plus tard, nous avons fait partie de la Quenouille Bleue, un groupe de création artistique.

«Donc, lorsque François m'a contacté pour *Jacques et Novembre*, j'avais déjà fait deux musiques de films. L'expérience avec Melançon était intéressante, puisqu'il s'agissait de faire une sorte de documentaire chanté, une suite de chansons accompagnant le déroulement du film. C'est pour le film de Ribes que j'ai signé ma première musique instrumentale. Le scénario de *Jacques et Novembre* me plaisait et j'aimais l'idée de travailler à un premier film parce que, moi aussi, j'en étais à mes débuts.

«D'une certaine façon, la musique de film sert à préparer les gens. C'est que la musique est une émotion pure, très pure. Au cinéma, une histoire est racontée en images et en paroles, et la musique contribue à installer le spectateur dans la région émotive relative à l'histoire. Lorsqu'elle est réussie, la musique de film participe à la création d'un espace propice à l'émotion, et lorsqu'elle est ratée, elle souligne l'action d'un gros trait de crayon rouge.

«Dans le cas des *Matins infidèles*, il était important de préciser dès le début les différences entre les personnages. Chez le personnage de Jean Beaudry, c'était le côté solitaire et méditatif, tandis que chez celui de Denis Bouchard, c'était une bonhommie, un humour qui finit par laisser paraître un trouble intérieur.

«Pour ce film, j'ai donc travaillé à partir des personnages principaux et composé des thèmes liés à chacun d'eux. J'ai aussi écrit un troisième thème spécifiquement pour accompagner la relation entre le personnage de Denis et son fils. Pour *Jacques et Novembre* et *Marie s'en va-t-en ville*, j'avais plutôt travaillé à partir de l'atmosphère générale, du type de scènes sur lesquelles il fallait mettre de la musique. Ces deux façons de faire me furent dictées par les scénarios.

«Quant au reste, j'ai travaillé de la même façon pour les trois films des Productions du lundi matin. Je lis le scénario à l'étape de la pré-production et, pendant que les autres sont occupés au tournage, je m'imprègne du scénario et j'essaie d'entendre le film. Plus tard, j'assiste au premier montage et on me fournit une cassette vidéo.

«Chez moi, j'ai un système informatique avec lequel je peux concevoir des arrangements musicaux pour tout l'orchestre et composer directement en visionnant la scène de façon à ce que le synchronisme soit parfait. En général, on me demande certains moments musicaux lors du premier visionnement. J'y vais alors d'une contre-proposition et nous nous entendons sur les séquences à mettre en musique. Lorsque j'ai établi les thèmes, commence le très long travail, qui consiste à prendre chaque extrait et à composer en relation avec sa longueur et son rythme interne.

«De la façon dont nous travaillons actuellement, il n'est pas nécessaire que j'aille sur le plateau. Mais, je serais prêt à travailler autrement, comme par exemple, de composer une première version de la musique avant même le tournage. Cela se fait de plus en plus et certains réalisateurs aiment écouter la musique sur le plateau pour que toute l'équipe s'imprègne de l'atmosphère.»

CATHERINE THABOURIN — RÉGISSEURE

Après des études en Communication à l'UQAM, Catherine Thabourin travaille à des films comme *Gaspard et fil$* de François Labonté, *Tinamer* de Jean-Guy Noël et, pour Les Productions du lundi matin, *Marie s'en va-t-en ville* de Marquise Lepage.

«Mon travail en est un de logistique. C'est assez terre à terre. C'est un travail qui se situe au carrefour de tous les autres départements. Le régisseur relève du directeur de production. Il doit prévoir certaines choses pour qu'il soit possible à trente personnes de travailler avec de l'équipement, des véhicules et un déploiement important dans un espace restreint. Le régisseur prépare le terrain et ferme la place. C'est lui qui obtient les permis, qui négocie le droit de tourner à tel ou tel endroit, et c'est lui qui remet les lieux en état parce que trente personnes, ça laisse des traces. Le régisseur est aussi une sorte de gendarme. Tu as négocié avec les propriétaires des lieux de tournage, ce qui fait que tu es le répondant. Alors tu es pris entre la réalité de la ville et les exigences en tournage.

«Sur le tournage de *Marie s'en va-t-en ville*, Jean Beaudry m'avait parlé du projet des Matins infidèles et m'avait exposé sa conception du cinéma. Je savais que le film avait été conçu pour être tourné par blocs, en continuité. Cela impliquait une bonne disponibilité de la part des chefs de secteurs. Il fallait rester disponible pendant presque un an, parce qu'entre les blocs, tu n'as pas le temps de faire un autre film. Il fallait donc embarquer totalement ou pas du tout.

«Je me souviens avoir demandé à Claude Cartier, le directeur de production: Comment retenir une équipe de tournage pendant tout ce temps? Je me souviens aussi que certains autres producteurs regardaient la démarche de Jean et François avec scepticisme. On ne croyait pas que des techniciens allaient accepter une si longue mobilisation.

«À l'origine, je sais que Jean et François étaient allés jusqu'à envisager de réunir une toute petite équipe pendant un an, de donner à chacun un salaire X et de faire en sorte que tous soient versatiles, que tous puissent remplir plusieurs fonctions. C'était utopique. Aujourd'hui, je pourrais dire que le tournage des Matins infidèles s'est déroulé à mi-chemin entre leurs intentions de départ et les normes courantes dans l'industrie.

«Au jour le jour, ça ressemblait tout de même à un tournage traditionnel. Cela même s'il y avait une petite équipe et que l'entente était très belle. En fait, je crois que la principale différence c'était surtout qu'il y avait moins de monde. La souplesse dont François avait besoin à la réalisation, ils l'ont obtenue grâce à la structure de travail mise en place. Ce qu'ils ont fait de bien, ça a été de beaucoup se préparer. De travailler en petit groupe, de définir avec précision le découpage et tout le reste. Dans d'autres films, dont la structure de production se monte plus rapidement, on trouve moins de solutions simples à cause du manque de temps. Jean et François avaient bien fait le tour et je crois que grâce à cela ils ont pu trouver des solutions simples aux problèmes.

«Cela s'est aussi fait sentir dans le choix de l'équipe. Il y a beaucoup de techniciens qui sont très bons mais qui s'adaptent mal à des contextes particuliers. Il ont su bien définir leurs besoins et choisir des gens qui correspondaient à ceux-ci.

«Je crois que leur véritable défi était là: montrer que tu n'es pas obligé d'avoir d'énormes moyens pour obtenir une qualité professionnelle. Montrer que tu peux pallier cela avec une préparation plus minutieuse et plus longue.

«À la régie, faire un film de cette façon, ça veut d'abord dire qu'il y aura moins de monde et, aussi, moins d'argent. Je me dis parfois que de travailler sur un gros film doit être confortable. Mais je ne peux pas vraiment comparer parce que j'ai souvent travaillé sur des petites productions. Cela dit, la notion capitale pour un régisseur, est de vouloir que d'autres films puissent se faire dans cinq ans et que même si actuellement on tourne, Montréal continue à vivre. Je pense qu'il y a trop de films dans lesquels les gens se pensent tout permis. Quand tu tournes un petit film avec peu d'argent, il est primordial que tu respectes les gens parce que tu as besoin de leur permission et de leur collaboration. En régie, tu rencontres des gens qui te demandent une fortune pour t'accorder une permission de tourner parce qu'ils savent ce que font certains tournages. Tu en rencontres d'autres qui te disent un non catégorique. Pour eux, l'argent n'est tout simplement plus une compensation suffisante. Tout cela est dû au comportement d'une partie de l'industrie qui a une vision très étroite des choses. C'est une question d'éthique. Un tournage dérange toujours, mais il y a des limites. Le cinéma québécois n'aura jamais suffisamment d'argent pour calmer tout un quartier parce que l'équipe prend trop de place. Il y a des endroits à Montréal où il est devenu impossible de tourner. Aux Productions du lundi matin, ils ont conscience de cela. Ils ont un réel sens de la responsabilité civique. Ce qui est très important pour la régie. Pour *Les Matins infidèles*, on a souvent tourné

sur le coin de rue sans bloquer la circulation, sans faire continuel-
lement appel aux policiers. Ça ne m'a pas simplifié la tâche, mais
c'est comme ça qu'il faut travailler.»

ANNEXES

ANNEXE 1

CALENDRIER

Écriture: mars 1985, synopsis (titre provisoire: Duluth et Saint-Urbain).
août 1985, première version du scénario.
janvier 1986, deuxième version du scénario.
avril 1987, troisième version du scénario.
juin 1987, version finale du scénario.

Tournage: 27 septembre 1987 (1 journée)
7 au 21 décembre 1987 (11 jours)
13 janvier 1988 (1 journée)
16 au 24 avril 1988 (7 jours)
25 mai au 15 juin 1988 (17 jours)
30 juillet 1988 ($\frac{1}{2}$ journée)
1er août 1988 (1 journée)

Montage: image, 11 juillet au 21 octobre 1988 (15 semaines)
son, 24 octobre 1988 au 5 février 1989 (12 semaines)

Mixage: 6 au 17 février 1989 (10 jours)

Copie zéro: 1er mai 1989

Sortie: Septembre 1989

ANNEXE 2

LISTE D'ÉQUIPEMENT

CAMERA (35 mm) :   Arriflex BL 3

Caméflex (essentiellement pour les prises de vue destinées à devenir des photos noir et blanc)

Magasins de 400 pieds (2) (122 m)
Magasins de 1000 pieds (2) (305 m)

Objectifs: Zeiss HS (T 1,3)   18 mm
                                          25 mm
                                          35 mm
                                          50 mm
                                          85 mm
                                         300 mm
                    Angénieux (T 3) zoom 20 à 120 mm

Trépied Sachtler, type: studio 7 + 7

Filtres

Pellicule Kodak 5297 et 5294

SON :   Magnétophone Nagra IV S - T.C.

Microphone Schoeps   cardioïde Mk 4
                                    hyper cardioïde Mk 41

Micros sans fil «Vega» 66 avec micro Tram

Rubans magnétiques Scotch 3M 226 et Ampex 456

ÉCLAIRAGE :

HMI	200 W (1)
	575 W (5)
	1,2 K (1)
	2,5 K (2)
	4 K (1)
Fresnel:	750 W (2)
	2 K (1)
404 - 250 W (3) + 2 snoots
Peppers	(3) + 2 snoots
Quartz:	1 K (2)
	2 K (2)
Zig egg crack	1 K (1)
	2 K (2)
Lowell kit	(1)
Stick up kit	(1)

MACHINERIE :

Dolly de marque Peewee (manuel)
Buterfly (plusieurs dimensions)
Griffolyn (plusieurs dimensions)
Écrans (plusieurs dimensions)
Soies (plusieurs dimensions)
Réflecteurs
Trépieds
Accessoires pour fixation diverses
etc.

ANNEXE 3

SOMMAIRE DU BUDGET

SCÉNARISATION		66 483 $
PRODUCTION		69 362 $
RÉALISATION		68 100 $
	SOUS-TOTAL 1	203 945 $
COMÉDIENS ET COMÉDIENNES		149 420 $
ÉQUIPE DE PRODUCTION		371 439 $
FRAIS DE BUREAU DE PRODUCTION		27 113 $
FRAIS DE LIEUX DE TOURNAGE		32 641 $
TRANSPORT (location autos, camions)		32 862 $
DÉCORS		28 833 $
COSTUMES ET MAQUILLAGE		6 568 $
ÉQUIPEMENT TOURNAGE (caméra, électrique, machiniste, son)		92 691 $
LABORATOIRE PRODUCTION (pellicule vierge, développement, copie de travail, repiquage magnétique, synchronisation, numérotage de bord, etc.)		89 589 $
	SOUS-TOTAL 2	831 156 $
ÉQUIPE MONTAGE (monteur image, monteur son, assistantes)		91 174 $
ÉQUIPEMENT MONTAGE (salles montage, équipement son et image)		30 272 $
LABORATOIRE FILM POST-PRODUCTION (montage négatif, copie zéro, fondus, internégatifs, interpositif, copie essai et exploitation)		61 387 $
LABORATOIRE SON POST-PRODUCTION (effets sonores, bruitage, repiquage sonore, postsynchro., mix, studio son, bande internationale)		74 881 $
MUSIQUE (composition, arrangement, enregistrement, droits d'auteurs)		40 152 $
TITRE ET OPTIQUES		24 500 $
	SOUS-TOTAL 3	322 366 $

FRAIS GÉNÉRAUX (publicité, frais médicaux et légaux,
administration, vérification, imprévus)   168 361 $
FRAIS ASSURANCES ET FINANCEMENT (erreurs
et omissions, générales, garantie de bonne fin, recherche
de financement)   125 700 $

SOUS-TOTAL 4   294 061 $

TOTAL   1 651 528 $

FINANCEMENT

TÉLÉFILM CANADA   796 999 $
SOCIÉTÉ GÉNÉRALE DU CINÉMA – QUÉBEC   500 000 $
SOCIÉTÉ GÉNÉRALE DU CINÉMA – QUÉBEC
AUTEURS (prime à la qualité)   100 000 $
INVESTISSEURS PRIVÉS   254 529 $

TOTAL   1 651 528 $

GLOSSAIRE

Casting: le choix des acteurs et actrices pour les différents rôles et / ou figurations à combler.

Champ: portion d'espace embrassée par la caméra.

Contre-plongée: la caméra est placée plus bas que le sujet à filmer.

Découpage technique: travail de préparation au tournage qui consiste à découper le scénario plan par plan en déterminant pour chacun les différentes composantes souhaitées, comme le cadrage, la grosseur du plan, l'angle de prise de vue, les mouvements de caméra, etc.

Diaphragme: appareil mécanique qu'on retrouve dans la monture d'un objectif et qui sert à laisser passer plus ou moins de lumière à travers l'objectif vers la pellicule.

Dolly: chariot spécialement conçu pour supporter la caméra (ainsi que le caméraman et son assistant) et pour permettre la prise de vue en mouvement, soit sur roue, soit sur rails.

Grand angulaire: objectif de courte focale (18-25 mm) qui donne un champ très large, plus que l'objectif standard.

Mise au foyer: mise au point, réglage de l'objectif de la caméra de sorte que l'image, ou la partie souhaitée de l'image, soit nette, au foyer.

Mixage: opération qui consiste à concentrer et équilibrer sur la bande son finale du film tous les sons désirés : les dialogues, les bruits, la musique, lesquels se trouvent montés sur des bandes séparées.

Nagra: marque de magnétophone utilisé partout dans le monde de l'enregistrement du son pour le cinéma. Ce type de magnétophone est muni d'un système de synchronistion qui permet un déroulement du ruban magnétique en parfaite synchronisation avec celui de la pellicule dans la caméra.

Objectif: système optique formé de lentilles qui permet le passage de la lumière et la fixation d'images réelles sur pellicule sensible (sur film).

Panoramique: mouvement exécuté, horizontal ou vertical, par la caméra autour d'un point fixe (son pied, le trépied).

Plan: fragment de film compris entre un départ et un arrêt de la caméra (plan large: un paysage, un coin de rue, un décor, toute une pièce; plan pied: le personnage de plain-pied; plan genou: de la tête aux genoux; plan américain: de la tête aux cuisses; plan taille: de la tête à la taille; plan rapproché: de la tête au buste; gros plan: un visage, un objet).

Plan de coupe: se dit d'un plan généralement rapproché et dont l'utilisation au montage, entre deux scènes, permet de faciliter les transitions ou d'éviter un heurt visuel.

Plan-séquence: toute une séquence ou une scène tournée en un seul plan.

Plongée: la caméra est placée plus haut que le sujet à filmer.

Posemètre: appareil servant à mesurer l'intensité de la lumière.

Postsynchronisation: enregistrement en studio des dialogues d'une scène déjà tournée et le travail pour les synchroniser avec l'image.

Projecteur HMI: type de lampe spécialement utilisé au cinéma pour que la lumière obtenue corresponde à une couleur identique à celle du soleil. Ce type de lampe permet donc un meilleur équilibre entre les tournages en extérieur et en intérieur.

Rushes: les premières copies (positives) du négatif original faites par le laboratoire et livrées chaque jour après le tournage pour être visionnées par les principaux membres de l'équipe.

Scénario: le film à tourner sous forme de récit comprenant tout ce qu'on y verra et tout ce qu'on y entendra incluant les dialogues (sans la musique!).

Screen test: audition filmée en vidéo ou sur pellicule pour évaluer le jeu des acteurs et / ou actrices pressentis ainsi que leur photogénie.

Steadycam: harnais muni d'un dispositif complexe de ressorts et de contrepoids permettant de porter la caméra sans lui transmettre les soubresauts de la marche ou de la course.

Télé-objectif: objectif qui donne un champ plus petit que l'objectif standard et qui crée l'effet d'un téléscope.

Tirage en haut contraste: tirage d'un positif à partir d'un négatif où on accentue à l'extrême les contrastes de manière à ne rendre visible que les noirs très prononcés et avoir ainsi une image en transparence où n'apparaît que les parties très sombres.

Travelling: mouvement exécuté par la caméra placée sur un chariot qu'on déplace sur roue ou sur rails. Précédant le sujet: travelling arrière; suivant le sujet: travelling avant; se rapprochant du sujet: travelling avant; s'éloignant du sujet: travelling arrière. travelling latéral: haut bas, gauche à droite.

Zoom: travelling optique obtenu par l'utilisation d'un objectif à focale variable et qui permet de s'approcher ou de s'éloigner du sujet sans bouger la caméra, simplement en déplaçant certaines lentilles contenues à l'intérieur de l'objectif.

TABLE DES MATIÈRES

Typographie et mise en pages sur micro-ordinateur:
MacGRAPH, Montréal

Achevé   Imprimerie
d'imprimer Gagné Ltée
au Canada Louiseville